Shadowing

シャドーイング

日本語を

Let's speak Japanese!
说日语！ 일본어로 말하자！

話そう!

斎藤仁志　吉本惠子　深澤道子

小野田知子　酒井理恵子 ｜ 著

初～中級編

Beginner to
Intermediate Edition

初～中級篇
초～중급편

くろしお出版

はじめに

　日本語の学習者からは、「教室で勉強する日本語は教室の外で使われている日本語とは違う」「先生の話はわかるけど他の日本人の話はわからない」「わかるのに使えない」などという声がよく聞かれます。このような声が長く聞こえ続けているのは、どうしてでしょうか。

　それは、1つには教師の中に正しい日本語を教えるべきだというビリーフがあり、授業でも優等生のやり取りだけを扱うということがあるからではないでしょうか。また「わかる」を「使える」までに導くには、時間をかけて練習する必要がありますが、その時間が十分にとれないこともあるでしょう。さらに日本語を体得するための反復練習には、学習者を夢中にさせるような面白いものが少なく、長続きがしにくいということも考えられます。

　近年、外国語としての日本語教育の裾野が広がるとともに、学習者のニーズは多様化し、「自分らしい日本語が使いたい」という要求も強まってきています。このニーズの多様化は、教師が用意した「効率だけを考えたまじめな教材」だけでは対応しきれない状況を生み出しています。私たちは、教材や練習法に学習者を飽きさせない工夫がなされることが必要だと考え、今回の教材作りに取り組みました。

　本書が目標にしたのは、教室の外で日常的に使われている新鮮な日本語を学習者に届け、実際に使ってもらえるようにすることです。そのためにシャドーイングという手法を試み、著作まで一年以上の試作期間を設け内容の吟味を重ねました。一般的にシャドーイングというと「中級あるいは上級レベルの学習者が行う練習で、主として新聞や小説などのまとまった文章を題材に行う練習法」といったイメージを持たれるかと思いますが、本書では「短い会話形式のシャドーイング」教材を作成しました。それは学習者にとって必要とされながら教室の中ではなかなか現れにくい「実際の会話」を意識したからに他なりません。「書き言葉」ではなく「話し言葉」をシャドーイングすることで学習者が「使える」へ一歩近づくと考えました。さらに会話を短くし話題を次から次へと変えることで、雑談（例えば居酒屋で交わされるような脱線の多い会話）でも取り残されずについていける力が身につくと考えました。

　実際にこのような特徴を持つ教材を使っていく中で、学習者の日本語に様々なプラスの変化が見られました。1つはアクセントやイントネーション、ポーズのとり方など音声面に変化が見られ、学習者の発話は自然で聞き取りやすくなりました。また単に発音が明瞭になっただけではなく、依頼、誘い、断りなど、それ

ぞれの機能に応じたイントネーションが使えるようになり「意思を声に乗せて話す」ことの下地ができてきました。もう1つの変化は、学習者の口から言葉がスムーズに出てくるようになったことです。シャドーイング実施以前と既に実施している学習者とを比較した場合、たとえ語彙量や文法知識に差がなくとも、シャドーイングを練習している学習者の発話の方が流暢で、シャドーイングを繰り返し練習することで運用力が高くなることがわかりました。

　さらに、毎日授業の始めに声を出してシャドーイングすることが「日本語勉強モード」を呼び起こすという予想外の効果もありました。また、実際の運用場面を明確に提示した教材の中から学習者が気に入ったフレーズを、教室の内外でタイミング良く使っている場面が多々見られました。得てして地道な訓練になりがちなシャドーイングですが、本書では「自然な言い回しで飽きずに何度も使ってもらえる教材」を目指し、作成と実践に取り組んできました。しかし本当に私たちが目標とした教材になり得たのでしょうか。この点については、読者の皆さんにじっくり判断していただきたいと思います。自分らしい日本語を話すために、楽しく日本語の勉強を進めるために、本書が少しでも読者の皆さんのお役に立つことを願っています。

　今回、本書を書くにあたり、広島大学の迫田久美子先生に貴重なご意見と温かい励ましをいただきましたこと、深く感謝申し上げます。また、CD作成を快くお引き受けくださった日本工学院専門学校の岩沢妙子さんと我妻拓さんに心からのお礼を申し上げます。さらに、シャドーイング実践の中で学習者の声を拾いあげ、様々な助言をしてくれたカイ日本語スクールの教師の面々にも深く感謝したいと思います。最後に、私たちの試みにいち早く関心を持ってくださり本書の出版へと導いてくださったくろしお出版の福西敏宏さん、そして度重なる変更や日延べに忍耐強くお付き合いくださり出版までの苦労と喜びを共有してくださった市川麻里子さんのお二人に心からのお礼を申し上げます。

著者一同
2006年8月

CONTENTS

5

シャドーイングについて

シャドーイングってなに？

　　シャドーイングとは同時通訳のための練習法の１つですが、様々な効果があり、初級の学習者にも高い効果があります。方法はとても簡単で、流れてくる音声を聞きながら「影」のようにすぐ後ろをできるだけ忠実に声に出して言う、それがシャドーイングです。

どうしてシャドーイング？

　　「話せるようになりたい！」「流暢に話したい！」　こう思う語学学習者はたくさんいると思います。しかし、「わかるけど話せない」という声もよく聞きます。
　　こうした「(頭で)わかる」と「話せる」の溝を埋める手法が「シャドーイング」です。言い換えれば、シャドーイングは「知的に理解できるレベル」から「運用できるレベル」にまで引き上げるための練習方法です。それはちょうど泳ぎ方を頭で理解している人が、実際に水の中で、腕の動かし方やキックの打ち方を意識しながら何度も泳ぎ、体に染み込ませる作業に似ています。

シャドーイングの効果

（その１）　シャドーイングはインプットとアウトプットをほぼ同時にするという非日常的な負荷の高い練習方法です。こうした練習を短い時間でも毎日繰り返すことで、高速で日本語を処理することができ、日本語が「使える」という現象が起きます。
　　脳をコンピュータに例えると、日本語の文法や語彙を学ぶのは新しいソフトをインストールすることになります。ですが、いくらいいソフトがあっても CPU やメモリーが小さくてはうまくコンピュータは動いてくれません。それどころかソフトが複雑になればなるほど、スピードが遅くなってしまいます。シャドーイングは脳のバージョンをアップする方法でもあります。高速で日本語が処理できるようになると、リスニングや読解への効果にもつながります。

（その２）　シャドーイングはモデルの音声と同じように声に出して言う作業です。これを繰り返すことで知らないうちにイントネーションが上手になります。イントネーションを意識して練習すれば、より早くその効果が実感できると思います。そして最後には、意識しなくても日本語のイントネーションが自分のものになります。

（その３）　シャドーイングを毎日繰り返し練習すると、頭の中に日本語の語彙や表現、会話が少しずつ蓄積されていきます。実生活での会話の中に、その蓄積された日本語の語彙や表現が出てきた場合、それが引き金となって、自然な受け答えがスーッと口から出てくるようになります。

本書は本冊のほかに CD が付いています。このシャドーイング教材は、初級から中級レベルの日本語を学習する皆さんを対象としています。

本書を繰り返し使うことで、自然なイントネーションや発音の向上が期待されます。

5つのユニットから成り立っています。

各ユニットには約8つのセクションがあります。

CD のトラックナンバーです。

電球マークの解説が書かれているページを表わします。

フォーマルマーク

カジュアルマーク

ディファレントマーク

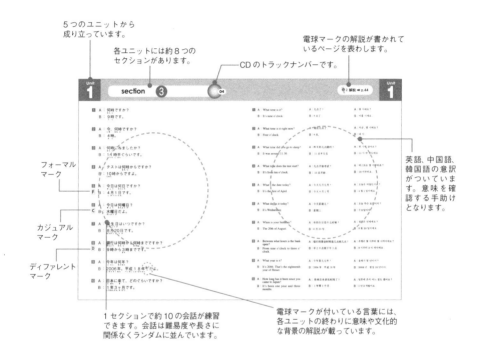

英語、中国語、韓国語の意訳がついています。意味を確認する手助けとなります。

1 セクションで約 10 の会話が練習できます。会話は難易度や長さに関係なくランダムに並んでいます。

電球マークが付いている言葉には、各ユニットの終わりに意味や文化的な背景の解説が載っています。

本書は 5 つのユニットから成っています。

ユニット 1 が最も難易度が低く、徐々に難易度が上がっていきます。ただし、ユニット4と5には文法的な難易度の差はありません。ただ、ユニット5は1つ1つの会話が長くなっています。

	日本語学習期間	語彙／文法表現　例	日本語能力試験
ユニット1	0～250 時間程度	存在文、辞書形、ない形、て形 ～のほうが（大きいです）、～ましょう ～てください etc.	4級
ユニット2	200～500 時間程度	可能形、た形 もう／まだ、～たほうがいい、～てくれる、 ～つもり、～んです etc.	3級
ユニット3	400～650 時間程度	自／他動詞、受身形、使役形 ～ておく、～することになりました、 ～らしいです etc.	
ユニット4	650 時間以上	擬態語擬声語、慣用句 わざわざ、間に合う etc.	2級
ユニット5	650 時間以上	使役受身、尊敬語／謙譲語、諺（一石二鳥）、 パソコンにまつわる表現 切りがいい etc.	

本書の特徴

❶ 会話の内容について

　この本では、実際に使える自然な会話をたくさん収録しました。縮約形(「やっぱり」→「やっぱ」などの形)や、慣用句(「一石二鳥」などの諺を含む)など、日本人が日常で使っている言葉をそのまま取り入れました。内容は挨拶や生活に密着した実用的なことから言葉遊びのようなものまで、幅広く入っています。人物設定も友達同士・夫婦・上司と部下・同僚同士など様々な人間関係を取り入れています。毎日耳にし、出会う場面ですぐに使えるものばかりです。

　会話は同じような状況や場面で使う表現を集めるのではなく、ランダムに並べてあります。様々な会話がランダムに出てくることで、いつも新鮮な気持ちで練習が続けられます。また、話題が変わりやすい雑談の場面に慣れるためにも、ランダムに並んでいる会話の練習が役立ちます。

❷ 表記上の注意

　　① Unit1 ～ 3 では全ての漢字にルビを、Unit4 と 5 には初出の漢字のみルビが振ってあります。

　　② 「—」は長く伸ばした音を表します。

　　③ 「～」は感情が特に揺れている時に使いました。疑いや、不満、驚きの気持ちなどを表します。イントネーションに特に注意しましょう。

❸ 縮約形と音便について

　口語表現に近づけるため、できるだけ音声に忠実に書き表しました。ですから本書には様々な縮約形、音便が使われています。

　　　　　　例:

正　規		本　書
やっぱり	→	やっぱ
食べてしまいました	→	食べちゃった
食べている	→	食べてる
予約しておく	→	予約しとく
わからない	→	わかんない
こわれてるのかな?	→	こわれてんのかな?

❹ FとCとDのアイコンについて

話す相手や場面、状況によって話し方を変える目安としてアイコンをつけました。

F フォーマルマーク 　→ 　お互いに丁寧に話している会話(ビジネスやフォーマルな場面など)

C カジュアルマーク 　→ 　お互いにカジュアルに話している会話(友達同士など)

D ディファレントマーク → 　一方が丁寧に、一方がカジュアルに話している会話
　　　　　　　　　　　　　　(上司と部下、先生と生徒など)

この教材をお使いになる学習者の皆さんへ

JAPANESE

 この教材は、日本人が日常生活で使う実用的な短い会話を集めたシャドーイングの練習テキストです。「日本人が話していることが聞き取れない」「言いたいことが上手に表現できない」という悩みが解決につながります。
 最初のうちは、聞きながら話す（シャドーイング）という作業が困難かもしれませんが、根気よく何回も練習してみてください。だんだんシャドーイングに慣れてきて、効果が表れてきます。会話の「意味がわかる」で満足せず、「使える」まで練習してください。全ての会話にチャレンジする必要はありません。みなさんの生活にあった表現や好きな表現を見つけて楽しく練習してください。

使い方

① テキストを見て意味の確認をします。

② はじめはテキストを見て文字を追いながら、CD から出る音声をシャドーイングします。

③ 慣れてきたら、文字を見ないでシャドーイングをしましょう。
 ※ A だけ、または B だけをシャドーイングしてもかまいません。
 ※ 途中で CD の音声についていけなくなったら、次の会話から始めましょう。

時　間

1 日 10 分程度が目安です。
シャドーイングの練習は、短い時間でも毎日続けることが効果的です。1 セクションできるようになったら次のセクションに進みます。3 ヶ月で 1 ユニットを目安に練習しましょう。

練習方法

自分のレベルや弱点にあわせて様々な練習方法を試してみましょう。

● サイレント・シャドーイング
 聞こえてくる音を声に出さずに頭の中で言う練習法です。スピードが速い会話や、言いづらい表現は、まずこれで試してみましょう。

● マンブリング
 CD から聞こえてくる音をはっきりと発音しないで、ブツブツ小声でつぶやく練習法です。イントネーションの感覚をつかみましょう。

● プロソディ・シャドーイング
 リズムやイントネーションに特に注意してシャドーイングする練習法です。この本では例えば「あー」と「あ〜」のイントネーションが異なります。意識して練習しましょう。

● コンテンツ・シャドーイング
 意味を理解することを意識しながらシャドーイングする練習法です。プロソディ・シャドーイングを十分に練習し、上手くできるようになったら、意味や場面をイメージしながらシャドーイングしてください。これで本当に自分の表現になり、場面に適した日本語が身につきます。

9

Introduction

What is Shadowing?

Shadowing is a form of training that is designed to help improve simultaneous interpretation. However its effectiveness is not limited to this area and with its simple method, beginner students will also gain great value from it. Whilst listening to a flowing conversation, being able to 'shadow' the conversation by repeating immediately afterwards is what we have called the Shadowing learning method.

Why Shadowing?

"I want to be able to speak Japanese easily!", "I want to speak fluently!"

We believe that there are many Japanese language students who share these desires. Another opinion that we often hear is, "I understand what people say to me, but I can't speak myself". Shadowing acts as a bridge between understanding what you want to say in your mind and being able to actually say it out loud promptly and fluently. To express this differently, Shadowing is a training method that raises ability from intellectual understanding to practical application. This difference can be compared to knowing the theory of how to swim and actually consciously experiencing how to move your arms and kick your legs in the water.

The results of applying the Shadowing method

No. 1
Shadowing is quite an intensive learning method where you listen and speak at almost exactly the same time. If you practise Shadowing for even a short period of time every day you'll be able to **process Japanese at a higher pace** and soon you'll be able to **practically use** and apply **the learned dialogues.** When learning a new language of course you'll have to learn it's grammar and vocabulary, but generally speaking you'll soon find that the more you learn the sooner you start forgetting things. Shadowing is a way of training your brain to recognise certain situations and dialogues so that you get accustomed to them and you react to them reflexively in a natural manner. By using the Shadowing learning method, in a very short time you'll become able to process Japanese at a higher speed and also see improvements to your listening and reading skills.

No.2
Shadowing exercises your ability to pronounce Japanese in the same manner as a native Japanese person. By practising regularly, your **intonation will improve** without you being consciously aware of it. It is of course true that if you consciously exercise your intonation then you will notice the effects. However, even without concentrating on your Japanese intonation, significant improvements will be made..

No.3
By practicing Shadowing every day, your knowledge of vocabulary, expressions and conversations will gradually start to accumulate within your mind. When expressions and words from this accumulated knowledge appear in real life conversations, they will act as a trigger and **you will respond promptly and fluently.**

In addition to the book, a CD has also been attached. These materials are targeted towards beginner and intermediate Japanese language students.

With repeated use of the book, intonation and pronunciation are expected to improve.

This book consists of five units.

Each unit consists of about eight sections.

CD track numbers are also written at the start of each section.

The page number of the explanation for each miniature light bulb marking can be found next to the marking.

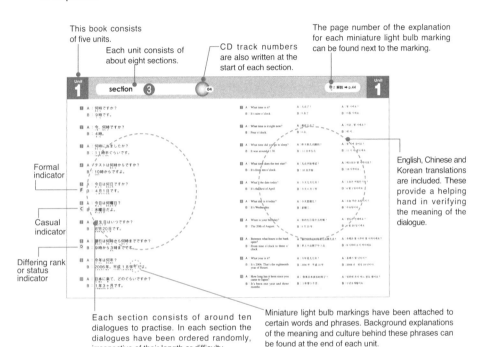

Formal indicator

Casual indicator

Differing rank or status indicator

English, Chinese and Korean translations are included. These provide a helping hand in verifying the meaning of the dialogue.

Each section consists of around ten dialogues to practise. In each section the dialogues have been ordered randomly, irrespective of their length or difficulty.

Miniature light bulb markings have been attached to certain words and phrases. Background explanations of the meaning and culture behind these phrases can be found at the end of each unit.

This book contains five units.

Unit 1 contains the simplest examples and as the book progresses, the difficulty level gradually rises. However there is no difference in the level of difficulty between Units 4 and 5. The only difference is that the dialogues in Unit 5 tend to be longer.

	Japanese Study Experience	Vocabulary and Grammar Examples	Level of Japanese Language Proficiency Test
Unit 1	0-250 hours	Statement of existence, Dictionary form, ない form, て form ～のほうが(大きいです)、 ～ましょう、 ～てください etc.	Level 4
Unit 2	200-500 hours	Potential form, た form もう / まだ、 ～たほうがいい、 ～てくれる、 ～つもり、 ～んです etc.	Level 3
Unit 3	400-650 hours	Transitive verb/Intransitive verb, Passive form, Causative form ～ておく、～することになりました、～らしいです	
Unit 4	Over 650 hours	わざわざ 間に合う onomatopoeias, idiom etc.	Level 2
Unit 5	Over 650 hours	Causative-passive form, honorific/humble proverb(一石二鳥、 継続は力なり) きりがいい、 Expressions about computer etc	

Features of the text

❶ About the content of the dialogues

Natural conversations that are heard in real life situations have been compiled in this book. Contractions (やっぱり → やっぱ etc.), idioms (proverbs such as two birds with one stone) and other commonly used language have all been used in the dialogues. A wide range of expressions can be found, from greetings and practical every day language to word play and jokes. Care has also been taken to insert dialogue between people of varying relationships e.g. between superiors and subordinates, work colleagues, friends, classmates, teachers and students etc. Every dialogue that has been inserted is one which you could hear and use in everyday situations.

The dialogues have been arranged randomly, irrespective of setting or situation. By doing this, each new dialogue has a fresh and new feeling and this is in keeping with natural conversation whose subject and theme change frequently.

❷ Points to note

① All the kanji in units 1-3 has furigana written above it. In units 4 and 5 furigana is only written above the kanji when it appears for the first time.

② The long dash "—" indicates that the sound has to be lengthened.

③ The waved dash " ~" is used to indicate a feeling of wavering sentiment such as doubt, displeasure or surprise. Please pay special attention to the intonation.

❸ About contractions and euphonic changes

In order to represent actual spoken language closely, wherever possible words have been written the way they sound. This book therefore uses various forms of contractions and euphonic changes.

Example :

Formal		This book
やっぱり	→	やっぱ
食べてしまいました	→	食べちゃった
食べている	→	食べてる
予約しておく	→	予約しとく
わからない	→	わかんない
こわれてるのかな？	→	こわれてんのかな？

❹ About the F , C and D icons

An icon is placed next to the language to indicate it's use in regard to who you are talking to and the situation.

F Formal indicator → Speakers are talking to each other in a polite and formal way (Business and formal situation etc.)

C Casual indicator → Speakers are talking to each other in a casual way (friends etc.)

D Differing rank or status indicator → One speaker is talking in a polite and formal way and the other in a casual way (Boss and worker, teacher and student etc.)

This Shadowing practice book is a collection of short, practical discussions that Japanese people use in everyday life. The worries of "I can't follow what Japanese people say", and "I can't express what I want to say in a good way" have related solutions.

Speaking while listening (Shadowing) might be difficult in the beginning, but please try to patiently practice over and over again. The effects of Shadowing will appear after you keep at it and get used to it. Please don't be satisfied with understanding the dialogue, but keep practising until you can actually use it. It's not necessary to master all the discussions in this book. Try to find the dialogues that fit your everyday life and the dialogues you find fun to remember and have fun practising them.

How to use this book

1. **Look at the text and understand the meaning of the dialogue.**
2. **To start with, look at the text and try to repeat the dialogue from the CD by reading the words.**
3. **After you get used to it, don't look at the text and repeat immediately after listening to the CD.**
   ※ If you want to, it's acceptable to repeat only A or B's lines.
   ※ If you weren't able to keep pace with the voices on the CD, just skip the current dialogue and start afresh from the next one.

Time

The aim is to practise Shadowing for ten minutes per day. Shadowing is also effective if you only practise for a short period. If you feel you are able to use the dialogues in one section please continue to the next one. The goal is to finish practising a unit in three months.

How to practice

By looking at your own level and weak points try different ways of practising until you find the style you like.

● サイレント・シャドーイング（Silent shadowing）
A style where you listen to the sound and practice inside your head without saying the dialogue out loud. For high-speed dialogue and difficult to voice expressions please try this style first.

● マンブリング（Whispering）
A style where you listen to the sound and practice by not voicing the dialogue clearly, but in a small voice whispering to yourself. Good for getting a grasp of the intonation.

● プロソディ・シャドーイング（Prosody shadowing）
A style where you pay extra attention to the rhythm and intonation. For example, in this book the intonation is different for "あー"and "あ～". Practise by being conscious of these differences.

● コンテンツ・シャドーイング（Contents shadowing）
A style where you pay extra attention to the meaning of the dialogue. After practising the prosody style thoroughly, and once proficient with the dialogue, please shadow once more by imagining the situation and understanding the meaning of the dialogue in that situation. Here the dialogue really becomes part of your Japanese vocabulary and you'll be able to use it properly in a real life situation.

影子练习是什么？

影子练习是成为同声传译的训练方法之一．它有着各种各样的效果，即使是初学者也有着不同凡响的效果．训练方法非常简单，一边听录音，然后像「影子」一样跟在后面尽量模仿录音发音．这就叫做影子练习．

为什么要做影子练习？

抱有以下想法的同学想必大有人在．"想要变得会说日语""想要说得很流利"．可是，"明白是明白，就是不会说"这样的心声，也经常能听到．能够弥补这种脑子里明白和具体地会说之间差距的练习方法就是影子练习．换句话说，影子练习是能够从初步理解知识的程度提高到灵活运用知识的程度的练习方法．这就正像学游泳的人一样．只要在脑子里理解了游泳技巧的人，当真正进入水中时边想着胳膊的划水方法以及蹬脚方法，经过多次练习，就能达到让身体自然记住的效果．

影子练习的效果

之一　影子练习是输入和输出几乎同时进行的异常的高负荷的练习方法．像这样的练习只要能够坚持每天做的话，即使是非常短的时间，也会出现能够**快速地处理日语**以及变得会**使用日语**的现象．如果把人脑比做电脑的话，就像给人脑安装了新的日语语法和单词的软件一样．所以，无论软件有多好，主机和内存太小的话，电脑也不能很好的运行．还不止如此，软件越复杂电脑的速度就会越慢．影子练习是给人脑升级的练习方法．如果能够变得在脑内快速地处理日语的话，听力以及阅读能力也会有相应被提高的效果．

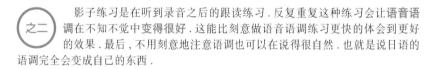

之二　影子练习是在听到录音之后的跟读练习．反复重复这种练习会让**语音语调**在不知不觉中**变得很好**．这能比刻意做语音语调练习更快的体会到更好的效果．最后，不用刻意地注意语调也可以在说得很自然．也就是说日语的语调完全会变成自己的东西．

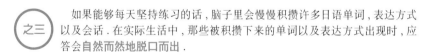

之三　如果能够每天坚持练习的话，脑子里会慢慢积攒许多日语单词，表达方式以及会话．在实际生活中，那些被积攒下来的单词以及表达方式出现时，应答会自然而然地脱口而出．

　　除了本书之外，还附有一盘 CD．该影子练习的教材，适合从初级到中级水平学习日语的学生使用．

　　重复使用本书的话，自然的语调以及发音相信是指日可待的．

本书是由 5 个单元组成的

每个单元中大约有 8 个会话小节．

CD 的录音号．

标有电灯符号词语的讲解的页数．

正式场合的符号

非正式场合的符号

立场相异的符号

本书附有英语，汉语，韩语的意译．可以帮助您理解会话的意思．

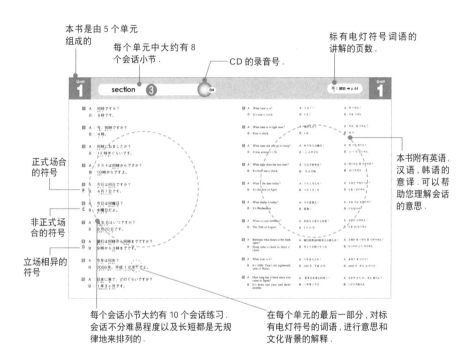

每个会话小节大约有 10 个会话练习．会话不分难易程度以及长短都是无规律地来排列的．

在每个单元的最后一部分，对标有电灯符号的词语，进行意思和文化背景的解释．

本书由 5 个单元构成

　　单元 1 的难易程度是各个单元中最低的，难度将会逐渐增加．但是，从语法角度来看，单元 4 与 5 的难易程度没有太大的差别．只是，单元 5 的会话部分比其它 4 个单元的会话部分稍长一些．

	日本語学習期間	語彙／文法表現　例	日本語能力試験
単元 1	0-250 小时程度	存在句、原形、ない形、て形 〜のほうが(大きいです)、〜ましょう、 〜てください etc.	4 级
単元 2	200-500 小时程度	可能形 た形 もう／まだ、〜たほうがいい、〜てくれる、 〜つもり、〜んです etc.	3 级
単元 3	400-650 小时程度	自／他动词 被动形 使役形 〜ておく、〜することになりました、 〜らしいです etc.	
単元 4	650 小时以上	わざわざ 間に合う 拟态词拟声词 惯用语等等	2 级
単元 5	650 小时以上	使役被动、尊敬语／自谦语 諺（一石二鳥、継続は力なり）きりがいい 关于电脑用法的表达方式 等等	

❶ 关于会话的内容

　本书采用了许多在实际生活中使用的日常会话．缩略语（「やっぱり」→「やっぱ」等形式）和习惯用语（包括一举两得等谚语）等，日本人在日常生活中经常使用的表达方式也被导入了．范围十分广泛，内容主要是从打招呼的寒暄语，与生活有着密切关系的实用的表达方式到语言游戏所使用的词语都涉及到了．出场人物也包含了从朋友，夫妇到上司与下属，同事之间等等各种各样的人际关系．都是一些每天能够听到，马上就能够使用的场景对话．但是相同内容的会话没有被集中在一起，而是无规律，规则地被排列着．由于这样的会话是没有规律、规则地出现的，所以在每次练习时都会给人一种新鲜感，使练习能够持续地长久．还有，为了适应快速转变话题的会话场景，这种无规律的排练也起到了很大的作用．

❷ 关于会话的内容

　① 在 Unit1-3 出现的汉字上都有标平假名，但在 Unit4 和 5 只有在第一次出现的汉字上有标平假名。

　②「—」表示长音．

　③「～」是感情在有特殊变化时用的符号．比方说，表示怀疑，不满，吃惊等心情时使用．请特别注意语音语调！

❸ 关于缩略语和音便

　为了更加接近口语，本书是尽量按照 CD 原声来写的．所以采用了各种各样的缩略语以及便音形式．

例如：

正规形式		本书采用的形式
やっぱり	→	やっぱ
食べてしまいました	→	食べちゃった
食べている	→	食べてる
予約しておく	→	予約しとく
わからない	→	わかんない
こわれてるのかな？	→	こわれてんのかな？

❹ 关于 F，C 和 D 符号

根据说话对象和场面状况的不同，说话会有所改变，在句子前有标上符号．

F 正式场合的符号　→ 双方都用敬语（商务或正式的场面等）

C 非正式场合的符号　→ 互相用不拘小节的方式来对话（朋友之间等）

D 立场相异的符号　→ 因身份的不同，一方用敬语，另一方以比较轻松的口气（上司和部下，老师和学生等）

　　这本教材集中了日本人在日常生活中使用的非常实用而短小的会话,是一本做影子练习使用的教材.本书与解决以下烦恼有着紧密的联系.比方说"听不懂日本人说的日语""想说的话却不能准确地说出来"等等.刚开始的时候,一边听,一边说(做这样的影子练习)也许会很难,但是请试着坚持多练习几次看看.请不要满足于只是明白了对话的意思,而是练习到会使用为止.可是也没有必要挑战所有的会话.而是找到大家在生活中能够用到的表达方式以及自己喜欢的表达方式来愉快地,轻松地进行会话练习

使用方法

① 首先阅读课文,然后确认它的意思.

② 刚开始时,一边看着课本,一边跟着 CD 做影子练习.

③ 在习惯了之后,尽量不要看课本,跟着 CD 做影子练习.
　※ 也可以先只跟着 A 或只跟着 B 做影子练习.
　※ 在中途,如果跟不上了的话,就放弃它,开始下面的会话练习.

时　间

以一天 10 分钟左右为标准.影子练习是只要坚持每天练,即使时间很短也会有效果的练习.在完全掌握了一个单元之后再进行下一个.以每 3 个月掌握 1 个单元为标准来练习.

练习方法

来试着尝试适合自己的程度以及自己的弱点的练习方法.

● **无声·影子练习**
　不出声而是用脑子想听到的 CD 原声的练习.首先,先来试着尝试快速地,难以表达的会话.

● **喃喃自语**
　一边听 CD 但是不要大声跟读,而是小声嘟囔的练习方法.紧抓正确的语音语调的语感!

● **韵律学·影子练习**
　特别注意韵律以及语调的影子练习方法.用本书来举例说明,「あー」和「あ～」的语调是有区别的.请有意识地一边区别它们一来练习.

● **内容·影子练习**
　这种练习是有意识地一边理解着会话的内容,一边进行模仿的练习.在充分地做了韵律影子练习,完全掌握会话的韵律以及语调之后,想象着会话的意思以及场景来进行影子练习.这样做可以将练习中的会话变成自己的语言,能够掌握适应各种场面的日语.

シャドーイングに 대해서

シャドーイング이란 뭐에요？

　シャドーイング 란 동시통역을 위한 연습법의 한 가지입니다만 , 여러가지 효과가 있어 , 초급학습자에게도 높은 효과가 있습니다 . 방법은 굉장히 간단합니다 . 흘러 나오는 음성을 들으면서〔그림자〕처럼 가능한 한 충실히 뒤따라서 바로 소리를 내서 말하기 . 이것이 シャドーイング입니다 .

왜 シャドーイング일까요？

　〔말하고 싶어 !〕〔유창하게 말하고 싶어 !〕이렇게 생각하는 어학학습자는 많이 있을 것이라고 생각합니다 . 그러나 ,〔알고는 있지만 말할 수 없어〕라는 목소리도 자주 듣습니다 . 이러한〔(머리로) 이해하다〕와〔말할 수 있다〕사이의 틈을 메우는 방법이〔シャドーイング〕입니다 . 바꿔 말하면 , シャドーイング는〔지식으로 이해 할 수 있는 레벨〕부터〔활용 가능한 레벨〕에 까지 끌어올리기 위한 연습 방법입니다 . 그것은 마치 헤엄치는 법을 머리로 이해하고 있는 사람이 , 실제로 물 속에서 팔을 움직이는 방법이나 발을 하는 법을 의식하면서 몇 번이나 헤엄쳐 , 몸에 베어들게 하는 작업과 비슷합니다 .

シャドーイング의 효과

　그 첫번째　シャドーイング는 인풋(input)과 아웃풋(output)을 거의 동시에 한다고 말하는 비 일상적인 , 부담이 큰 연습 방법입니다 . 이러한 연습을 짧은 시간이라도 매일 반복하는 일로 , **빠른 속도로 일본어를 처리**할 수 있게되어 , **일본어를**〔**쓸 수 있게 된다**〕라는 이상이 실현 됩니다 .
　뇌를 컴퓨터로 예를 들자면 , 일본어의 문법이나 단어를 학습하는 것은 새로운 소프트를 인스톨하는 일이 됩니다 . 그렇지만 , 아무리 좋은 소프트가 있어도 CPU 나 메모리가 작으면 컴퓨터가 잘 움직여 주지 않습니다 . 그렇기는커녕 소프트가 복잡하면 복잡할 수록 , 속도가 느려지게 되어 버립니다 . シャドーイング 는 뇌를 업그레이드 시켜주는 방법이기도 합니다 . 빠른 속도로 일본어를 처리 할 수 있게 되면 , 리스닝이나 독해와도 연결되는 효과가 있습니다 .

　그 두번째　シャドーイング는 모델의 음성과 비슷하게끔 소리를 내어서 말하는 작업입니다 . 이것을 반복하는 것으로 모르는 사이에 **인터네이션 (intonation) 이 향상** 됩니다 . 인터네이션을 의식해서 연습한다면 보다 빨리 그 효과를 실감 할 수 있을 것이라고 생각합니다 . 그리고 결국에는 의식하지 않아도 일본어의 인터네이션이 자신의 것이 됩니다 .

　그 세번째　シャドーイング을 매일 반복해서 연습한다면 , 일본어 어휘나 표현 , 회화가 조금씩 머리 속에서 축적되어 갑니다 . 실생활에서의 대화에서 , 그 축적된 일본어 어휘나 표현이 나온 경우 , 그것이 방아쇠가 되어 , 자연스러운 대화가 입에서 **술술 나오게** 됩니다 .

이 책의 구성

이 책은 책 이외에 CD 가 첨부되어 있습니다 . 이 〔 シャドーイング 〕 교재는 , 초급부터 중급의 일본어를 학습하는 여러분을 대상으로 하고 있습니다 . 이 책을 반복해서 공부하는 것으로 , 자연스러운 인터네이션이나 발음의 향상이 기대됩니다 .

5 개의 unit 으로 구성되어 있습니다 .

각 unit 에는 약 8 개의 section 이 있습니다 .

CD 의 트랙넘버 입니다 .

전구 마크의 해설이 써져 있는 페이지를 가리키고 있습니다 .

공적인 표현

사적인 표현

지위 또는 계급이 다를때 표현

영어 , 중국어 , 한국어의 의역이 붙어 있습니다 . 의미를 확인하는데 도움이 됩니다 .

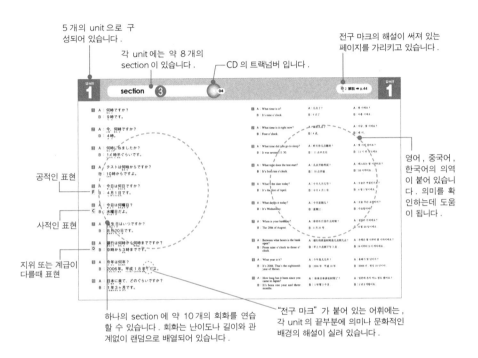

하나의 section 에 약 10 개의 회화를 연습할 수 있습니다 . 회화는 난이도나 길이와 관계없이 랜덤으로 배열되어 있습니다 .

"전구 마크" 가 붙어 있는 어휘에는 , 각 unit 의 끝부분에 의미나 문화적인 배경의 해설이 실려 있습니다 .

본서는 5 개의 Unit 로 구성되어 있습니다 .

Unit1 이 가장 난이도가 낮고 , 서서히 난이도가 올라갑니다 . 단 , unit4 와 5 에는 문법적인 난이도의 차이는 없습니다 . 단지 , unit5 는 하나하나의 회화가 길게 되어 있습니다 .

	日本語学習期間	語彙／文法表現　例	日本語能力試験
ユニット1	0 ～ 250 시간 정도	존재문 사전형 ない형 て형 ～のほうが (大きいです) ～ましょう , ～てください etc.	4급
ユニット2	200 ～ 500 시간 정도	가능형 た형 もう / まだ , ～たほうがいい , ～てくれる , ～つもり , ～んです etc.	3급
ユニット3	400 ～ 650 시간 정도	자 / 타동사　수동형 사역형 ～ておく ～することになりました ～らしいです etc.	
ユニット4	650 시간 이상	의태어의성어 관용구 등 わざわざ , 間に合う	2급
ユニット5	650 시간 이상	사역수동 존경어 / 겸양어 諺 , 속담 (一石二鳥 , 継続は力なり) きりがいい 컴퓨터에 관련된 표현 etc.	

본서의 특징

❶ 회화 내용에 대해

이 책은, 실제로 사용할 수 있는 자연스런 회화를 다량 수록했습니다.
축약형 (「やっぱり」 → 「やっぱ」 등의 형태), 관용구(「一石二鳥」 등의 속담 포함)등,
일본인이 일상생활에서 사용하고 있는 말을 그대로 도입했으며 내용은 인사표현과 생활속
에 밀착된 실용적인 것들로부터 언어유희적인 표현까지 폭넓게 담고 있습니다. 인물설정에
있어서도 친구사이, 부부, 상사와 부하, 동료관계 등 다양한 인간관계를 다루고 있으며 매
일 듣고 마주치는 장면들로 당장 사용할 수 있는 표현들로 구성되어있습니다.
회화는 비슷한 상황이나 장면에서 사용되는 표현이 단순히 집중되어 있는 것이 아니라,
랜덤형식으로 구성되어 있습니다.

❷ 표기상의 주의

① Unit1-3 에서는 모든 한자에 독음을, Unit4 와 5 에서는 처음 제시되는 한자에 한해
서 독음이 달려있습니다.

② 「一」 는 길게 늘이는 음, 즉 장음을 나타냅니다.

③ 「～」 는 특히 감정이 동요될 때의 표현에 사용했습니다. 의문이나 불만, 놀람등
의 기분 등을 표현하고 있습니다.

❸ 표기상의 주의

구어표현에 보다 가까운 표현을 위해, 가능한 음성에 충실하여 표기했습니다. 따라서 본
서에는 다양한 축약형, 음변이 사용되고 있습니다.

예 :

기본형		본서
やっぱり	→	やっぱ
食べてしまいました	→	食べちゃった
食べている	→	食べてる
予約しておく	→	予約しとく
わからない	→	わかんない
こわれてるのかな？	→	こわれてんのかな？

❹ F 와 C 와 D 의 아이콘에 대해

대화상대와 장소, 상황에 따라 바뀌는 대화방법을 아이콘을 붙여 표시하고 있습니다.

F 공적인 표현 → 서로 정중하게 말하는 회화 (비지니스 회화와 격식차린 장소등)

C 사적인 표현 → 서로 편안하게 말하는 회화 (친구사이에서의 회화)

D 지위 또는 계급이 다를때 표현 → 한쪽은 정중하게, 한쪽은 편안하게 말하는 회화.
(상사와 부하, 선생님과 학생사이에서의 회화등)

이 교재를 사용하는 학습자분들에게

　이 교재는 , 일본인이 일상생활에서 사용하는 실용적인 짤막한 회화를 모은 シャドーイ
ング의 연습교재입니다 . 「일본인이 말하는 내용을 알아들을 수가 없다」「말하고 싶은 것을
능숙하게 표현할 수 없다」 라는 고민들의 해결의 열쇠가 될 것입니다 .
　처음에는 들으면서 말하기(シャドーイング)라는 작업이 좀처럼 쉽지 않을 수도 있습니
다만 , 끈기있게 몇번이고 연습하시기 바랍니다 . 점점 シャドーイング가 익숙해지면 효과
가 나타나게 됩니다 . 회화의「의미를 아는 것」에 그치는 것이 아니라「사용할 수 있게 되
기」까지 연습하시기 바랍니다 .
　모든 회화에 도전하지 않아도 됩니다 . 여러분의 생활속에 적합한 표현이나 마음에 드는
표현을 발견하여 즐겁게 연습하세요 .

사용방법

❶ 교재를 보고 의미를 확인합니다

❷ 처음에는 교재를 보고 문자를 눈으로 쫓아가면서 , CD 에서 나오는 음성
을 シャドーイング합니다 .

❸ 익숙해지면 , 교재를 보지않고 シャドーイング해 봅니다 .
　※ A 나 B 만 シャドーイング 해도 상관없습니다 .
　※ 도중에 CD 의 음성을 따라가지 못하게 되면 , 다음 회화부터 시작합니다 .

시 간

매일 10 분 정도가 기준입니다 .
シャドーイング연습은 , 짧은 시간이라도 매일 꾸준히 하는 것이 효과적입니다 . 하나
의 section 의 シャドーイング이 가능해지면 다음 section 으로 넘어갑니다 . 3 개월에
하나의 UNIT 를 목표로 연습하도록 하세요 .

연습방법

자신의 수준이나 약점등에 맞춰 다양한 연습방법을 시험해봅시다 .

● サイレント・シャドーイング (Silent Shadowing)
　　들려오는 음을 소리내지 않고 머릿속으로 말하는 작업입니다 . 속도가 빠른 회화나 말
　　하기 힘든 표현은 먼저 이 방법으로 시험해봅시다 .

● マンブリング (Mumbling)
　　CD 에서 들려오는 음을 명확하게 발음하지 않고 , 중얼중얼 작은 소리로 읊조리듯이
　　연습하는 방법입니다 . 인터네이션 감각을 익혀나가도록 합시다 .

● プロソディ・シャドーイング (Prosody Shadowing)
　　리듬이나 인터네이션에 특히 주의하여 하는 シャドーイング 연습법입니다 . 이 책에서
　　는 예를 들어「あー」와「あ〜」의 인터네이션이 달라집니다 . 의식하여 연습하도록
　　하세요 .

● コンテンツ・シャドーイング (Content Shadowing)
　　의미를 이해하는 것을 의식하면서 이루어나가는 シャドーイング 입니다 . プロソデ
　　ィ・シャドーイング도 충분히 연습하여 숙달되게 되면 , 의미나 장면을 떠올리면서
　　シャドーイング 해주세요 . 이로서 정말로 자신만의 표현이 되고 , 장면에 알맞은 일

この教材をお使いになる教師の皆さんへ

この教材を使ってシャドーイング授業を行う際に、学習者にシャドーイングの目的と効果を分かりやすく説明しておくことが大切です。それらが曖昧なままでは学習者に不安や不審を残しかねません。さらに、教師が学習者のレベルやニーズに合わせて進め方を工夫することで、学習者のモチベーションが上がり、シャドーイングの効果が高まります。以下に、シャドーイング授業の進め方と工夫例などについて説明しますので、参考にしてください。

❶ 授業の進め方

シャドーイングは毎日続けることが効果につながります。一方、学習者にとっては集中力を要する負担の多い練習であることも確かですから、毎日の練習時間を 10 分程度に抑えることが望ましいでしょう。1 日 1 〜 2 セクションを 2 〜 3 週間繰り返し練習して次のセクションに移るのが目安ですが、学習者の大半が問題なくシャドーイングできるようになるまで、次のセクションに進まないというのが基本です。教室環境については、学習者の声で CD の音声がかき消されることがないよう、CD の音量に留意することと、学習者に大声でシャドーイングしないように注意することを心がけてください。

各セクションの具体的な進め方は、

1）スクリプトの意味を確認する

2）CD から出る音声をシャドーイングする

という簡単なものです。
楽しく効果的に練習する工夫例としては、

1）スクリプトを見ながら（自信のない箇所のみ）シャドーイングする

2）A を聞き、B だけをシャドーイングする（または、その反対）

3）A と B の 2 つのグループに分かれてシャドーイングする

4）ペアで A と B をシャドーイングする（アイコンタクトやうなずきを使って自然な会話をするよう勧める）

などがあります。

❷ 教師の役割

シャドーイング練習に慣れていない学習者は、その目的や効果は理解していても、シャドーイングすることに消極的だったりします。そのような時は、まず、教師の皆さんが率先してシャドーイングをしてみてください。シャドーイングをしている時の教師の自然な発音やイントネーションや表情は、学習者にとって理想のモデルになるはずですし、学習者のシャドーイングへの障壁を下げることにもつながります。

Unit
1

まずは、あいさつや短い会話から日本語の音になれていきましょう。
き ほんてき　ぶんぽう　つか　　　　　に ほんじん　じゅうぶん
基本的な文法を使って、日本人と十分にコミュニケーションできます。

Firstly, let's get used to the sound of Japanese by listening to greetings and short
conversations. There is a great deal that you can communicate just by using basic
grammar.

首先，从寒暄语和短的会话来适应日语的语音吧。使用基本的文法，与日本人充
分地交流。

우선은 인사나 짧은 회화부터 일본어의 소리에 익숙해져 나갑시다 . 기본적인 문법을
사용해 일본인과 충분히 커뮤니케이션할 수 있습니다 .

Level ★☆☆☆☆

存在文　辞書形　ない形　て形	・～のほうが （大きいです） おお
Statement of existence, Dictionary form ない form, て form	
	・～ましょう
存在句　原形　ない形　て形	・～てください
存在문　사전형　ない형　て형	etc.

1 A ：そう？
C B ：そう。

2 A ：え〜、どれ？ これ？
C B ：うん。それ。

3 A ：おいしい？
C B ：うん。おいしいよ。

4 A ：はい？
B ：はい。

5 A ：きれい？
C B ：きれい。

6 A ：本当？
ほんとう
C B ：本当。
ほんとう

7 A ：田中さん？
た なか
B ：田中さん。
た なか

8 A ：いい？
C B ：いいよ。

9 A ：ここ？
C B ：うん。そこ。

10 A ：わかった？
D B ：はい。わかりました。

1
A：Really?
B：Really.

A：是吗?
B：是的.

A：그래?
B：그래.

2
A：Really? Which one? This one?
B：Yup, that one.

A：哎╱哪个?这个?
B：嗯,那个.

A：어-어느 거?이거?
B：응.그거.

3
A：Is it tasty?
B：Yeah it's good.

A：好吃吗?
B：嗯,真好吃.

A：맛있어?
B：응.맛있어.

4
A：Yes?
B：Yes.

A：是?
B：是.

A：예?
B：예.

5
A：Is it pretty?
B：Yes.

A：好看吗?
B：好看.

A：예뻐?
B：예뻐.

6
A：Really?
B：Really.

A：真的吗?
B：真的.

A：정말?
B：정말.

7
A：Tanaka-san?
B：Yes, Tanaka-san.

A：您是田中先生吗?
B：嗯,是田中先生.

A：다나카상?
B：다나카상.

8
A：Is that OK?
B：It's fine.

A：好吗?
B：好啊.

A：좋아?(괜찮아?)
B：좋아.(괜찮아.)

9
A：Here?
B：Yep, there.

A：这儿吗?
B：嗯,是那儿.

A：여기?
B：응,거기.

10
A：Do you understand?
B：Yes, I understand.

A：明白了吗?
B：嗯,明白了.

A：알겠어?
B：예.알겠습니다.

1　A ： こんにちは。
　　B ： こんにちは。

2　A ： 先生、おはようございます。
　せんせい
D　B ： おはよう。

3　A ： えみさん　じゃーね。
C　B ： うん。また明日。
　　　　　　　　あした

4　A ： お先に失礼します🔦1。
　　　　さき　しつれい
D　B ： おつかれさまー。

5　A ： あ〜あ。
　　B ： すみません。

6　A ： いってきます。
　　B ： いってらっしゃい。

7　A ： ただいまー。
　　B ： おかえりー。

8　A ： どうもありがとうございます。
　　B ： いいえ、どういたしまして。

9　A ： いい天気ですね。
　　　　てんき
　　B ： ええ、そうですね。

10　A ： お元気ですか？
　　　げんき
　　B ： はい、元気です。
　　　　　げんき

1
A：Hello.
B：Hello.

A：你好.
B：你好.

A：안녕하세요.
B：안녕하세요.

2
A：Good morning sensei.
B：Morning.

A：老师,您早上好.
B：早.

A：선생님,안녕하세요.
B：안녕.

3
A：I'll see you later Emi-san.
B：See you tomorrow.

A：江美,再见.
B：嗯,明天见.

A：에미상,잘가~
B：응.내일 봐.

4
A：Excuse me for leaving early?
B：See you tomorrow.

A：我先走了.
B：辛苦了.

A：먼저 실례하겠습니다.
B：수고하셨습니다.

5
A：Ahh (look what you've done).
B：I'm sorry.

A：啊...
B：对不起.

A：아~
B：죄송합니다.

6
A：I'm off, see you later.
B：See you later.

A：我走了.
B：嗯,小心点,早点回来.

A：다녀오겠습니다.
B：다녀오세요.

7
A：I'm back.
B：Welcome home.

A：我回来了.
B：你回来了.

A：다녀왔습니다.
B：어서와.

8
A：Thank you very much.
B：Not at all. You're welcome.

A：多谢您了.
B：不用,别客气.

A：정말 감사합니다.
B：아네요,별말씀을요.

9
A：Nice weather isn't it?
B：Yes it's lovely.

A：今天天气真好啊.
B：是啊,真好.

A：좋은 날씨네요.
B：네,그러네요.

10
A：How are you?
B：I'm very well thank you.

A：您好吗?
B：我很好.

A：잘 지내셨어요?
B：네,잘 지내요.

1 A : 何時ですか？
　　　B : 9時です。

2 A : 今、何時ですか？
D B : 4時。

3 A : 何時にねましたか？
　　　B : 11時半ぐらいです。

4 A : テストは何時からですか？
　　　B : 10時からですよ。

5 A : 今日は何日ですか？
　　　B : 4月1日です。

6 A : 今日は何曜日？
C B : 水曜日だよ。

7 A : 誕生日はいつですか？
　　　B : 8月20日です。

8 A : 銀行は何時から何時までですか？
　　　B : 9時から3時までです。

9 A : 今年は何年？
C B : 2006年。平成18年💡²だよ。

10 A : 日本に来て、どのぐらいですか？
　　　 B : 1年3ヶ月です。

1 A : What time is it?

　　B : It's nine o'clock.

A：几点了？

B：9 点了．

A：몇 시에요？

B：아홉 시에요．

2 A : What time is it right now?

　　B : Four o'clock.

A：现在几点了．

B：4 点。

A：지금，몇 시에요？

B：네 시．

3 A : What time did you go to sleep?

　　B : It was around 11:30.

A：昨天你几点睡的？

B：11 点半左右．

A：몇 시에 잤어요？

B：11 시 반 정도에요．

4 A : What time does the test start?

　　B : It's from ten o'clock.

A：几点开始考试？

B：10 点开始．

A：테스트는 몇 시부터죠？

B：10 시부터요．

5 A : What's the date today?

　　B : It's the first of April.

A：今天几月几号？

B：今天 4 月 1 号．

A：오늘은 몇 일인가요？

B：4 월 1 일이에요．

6 A : What day is it today?

　　B : It's Wednesday.

A：今天星期几？

B：星期三．

A：오늘 무슨 요일이지？

B：수요일이야．

7 A : When is your birthday?

　　B : The 20th of August.

A：你的生日是什么时候？

B：8 月 20 号．

A：생일은 언제에요？

B：8 월 20 일이에요．

8 A : Between what hours is the bank open?

　　B : From nine o'clock to three o'clock.

A：银行的营业时间是几点到几点？

B：早上 9 点到下午 3 点．

A：은행은 몇 시부터 몇 시까지에요？

B：9 시부터 3 시 까지에요．

9 A : What year is it?

　　B : It's 2006. That's the eighteenth year of Heisei.

A：今年是哪一年？

B：2006 年．平成 18 年．

A：올해가 몇 년이지？

B：2006 년．평성 18 년이야．

10 A : How long has it been since you came to Japan?

　　B : It's been one year and three months.

A：你来日本多长时间了？

B：1 年零 3 个月．

A：일본에 온지 어느 정도 됐어요？

B：1 년 3 개월이요．

1 A : はじめまして。渡辺です。
　　B : 田中です。どうぞよろしく。

2 A : 鈴木さんですか?
　　B : はい、そうです。

3 A : 佐藤さんですか?
　　B : いいえ、加藤です。

4 A : あれは日本語で何ですか?
　　B : あれ?　あ、あれは交番ですよ。

5 A : それはなんですか?
　　B : デジカメ💡³です。

6 A : 山田さんの部屋は何階ですか?
　　B : 3階です。

7 A : お名前は?
　　B : ペドロです。
　　A : お国は?
　　B : スペインです。

8 A : ノート、3冊ください。
　　B : はい、3冊ですね。

9 A : 駅までどのぐらいですか?
　　B : 1キロぐらいです。

10 A : 新宿駅はどこですか?
　　B : あそこですよ。

💡3 解説 ➡ p.44

1
A：How do you do? I'm Watanabe.
B：I'm Tanaka. Nice to meet you.

A：初次见面 , 我叫渡边 .
B：我叫田中 , 请多关照 .

A：처음 뵙겠습니다 . 와타나베입니다 .
B：다나카입니다 . 잘 부탁드립니다 .

2
A：Suzuki-san?
B：Yes, I'm Suzuki.

A：你是铃木先生吗 ?
B：是的 , 我是 .

A：스즈키상입니까 ?
B：네 , 그렇습니다 .

3
A：Sato-san?
B：No, I'm Kato.

A：你是佐藤先生吗 ?
B：不 , 我是加藤 .

A：사토상입니까 ?
B：아뇨 , 가토입니다 .

4
A：What do you call that in Japanese?
B：That? That's a police box.

A：那个用日语怎么说 ?
B：那个 ? 那个是 KOU BAN.

A：저건 일본어로 뭐에요 ?
B：저거요 ? 아 , 저건 파출소에요 .

5
A：What's that?
B：It's a digital camera.

A：那个是什么 ?
B：数码相机 .

A：그건 뭐에요 ?
B：디카에요 .

6
A：On which floor is Yamada-san's room?
B：It's on the third floor.

A：山田先生的房间在几楼 ?
B：3 楼 .

A：야마다상 방은 몇층이에요 ?
B：3 층이에요 .

7
A：What's your name?
B：I'm Pedro.
A：Where are you from?
B：I'm from Spain.

A：你叫什么名字 .
B：我叫拍动罗 .
A：你是哪国人 ?
B：我是西班牙人 .

A：성함은 ?
B：페드로입니다 .
A：국적은 ?
B：스페인입니다 .

8
A：Can I have three notebooks please?
B：Three note books? Certainly.

A：我要 3 本笔记本 .
B：好 ,3 本哦 .

A：노트 , 3 권 주세요 .
B：네 , 노트 3 권이요 .

9
A：How far is it to the station?
B：It's about a kilometre.

A：从这儿到车站有多远 ?
B：1 公里左右 .

A：역까지 어느정도입니까 ?
B：1 킬로 정도입니다 .

10
A：Where is Shinjuku station?
B：It's over there.

A：新宿车站在哪儿 ?
B：在那儿 .

A：신주쿠역이 어디에요 ?
B：저기에요 .

1 A：何才ですか？
　 B：２８才です。

2 A：どんな映画を見ますか？
　 B：コメディーをよく見ますね。

3 A：黄色と赤の花をください。
　 B：はい、黄色と赤ですね。

4 A：今日は暑いですね。
　 B：ええ、本当に。

5 A：日本語の勉強はどうですか？
　 B：漢字はむずかしいですが、とてもおもしろいです。

6 A：いくらですか？
　 B：２１０円です。

7 A：テスト、むずかしいですか？
　 B：いいえ、かんたんですよ。

8 A：鈴木さんはどんな人ですか？
　 B：親切な人ですよ。

9 A：このくつ、ちょっと大きいです。
　 B：じゃー、これはどうですか？

10 A：これ、きれいですね。
　 B：ええ、とてもきれいですね。

1
A：How old are you?
B：I'm 28.

A：你多大了？
B：28 岁了．

A：몇 살이에요？
B：28 살이에요．

2
A：What kind of films do you watch?
B：I often watch comedies.

A：你喜欢看什么样的电影？
B：我经常看喜剧．

A：(주로) 어떤 영화보세요？
B：코미디를 주로 보네요．

3
A：May I have the yellow and red flowers please?
B：The yellow and red ones? Of course.

A：请给我黄色和红色的花．
B：好，黄色和红色的哦．

A：노란 꽃이랑 빨간 꽃 주세요．
B：예，노랑이랑 빨강 말이죠．

4
A：It's hot today isn't it?
B：Yeah it really is.

A：今天真热呀．
B：嗯，是啊．

A：오늘은 덥네요．
B：응，정말로．

5
A：How are your Japanese studies going?
B：Learning kanji is difficult but it's really interesting.

A：日语学得怎么样了？
B：虽然汉字很难，但是很有意思．

A：일본어 공부는 어때요？
B：한자는 어려운데요，되게 재밌어요．

6
A：How much is this?
B：It's 210 yen.

A：多少钱？
B：210 日元．

A：얼마에요？
B：210 엔입니다．

7
A：Is the test difficult?
B：No it's easy.

A：考试题难吗？
B：不难，挺简单的．

A：테스트，어렵습니까？
B：아니요，간단해요．

8
A：What kind of person is Suzuki-san?
B：He's a kind person.

A：铃木先生是一个怎么样的人？
B：他是一个对人很热情的人．

A：스즈키상은 어떤 사람이에요？
B：친절한 사람이에요．

9
A：These shoes are a little bit big.
B：OK, how about these?

A：这双鞋有点儿大．
B：那这双怎么样？．

A：이 구두，좀 커요．
B：그럼，이건 어떻습니까？

10
A：This is pretty, isn't it?
B：Yeah, it's really pretty.

A：这个真漂亮呀．
B：嗯，是挺漂亮的．

A：이거，예쁘네요．
B：예，정말 예쁘군요．

1 A : はじめまして。

B : はじめまして、どうぞよろしくおねがいします。

2 A : どうぞ。

B : あー、どうもすみません。いただきます。

3 A : お国はどちらですか？

B : 韓国です。

4 A : 日本は、初めてですか？

B : いいえ、3回目です。

5 A : 和食は大丈夫ですか？

B : はい、大丈夫です。

6 A : そろそろ失礼します。

B : そうですか。じゃ、また。

7 A : わ〜、おいしそう。それなんですか？

B : これ？　中国のおかし。1つどうですか？

8 A : いつ日本に来たんですか？

B : 2ヶ月くらい前です。

9
C A : 今、何時？

B : えーっと、4時20分。

10
D A : こんどの休み、どこ行くの？

B : 友だちと海に行きます。

1

A : Pleased to meet you.

B : Likewise. Nice to meet you too.

A：初次见面 .

B：初次见面 , 请多关照 .

A：처음뵙겠습니다 .

B：처음뵙겠습니다 , 잘부탁드리겠습니다 .

2

A : Here you are.

B : Ah, thank you very much.

A：请 .

B：哦 , 不好意思 , 我先开动了 .

A：어서드세요 .

B：아 , 감사합니다 . 잘먹겠습니다 .

3

A : Which country do you come from?

B : I'm from South-Korea.

A：你是哪国人 ?

B：我是韩国人 .

A：국적이 어디세요 ?

B：한국입니다 .

4

A : Is this your first time in Japan?

B : No, it's the third time.

A：你是第一次来日本吗 ?

B：不是 , 已经是第 3 次了 .

A：일본은 , 처음이신가요 ?

B：아뇨 , 세번째에요 .

5

A : Is Japanese food OK?

B : Yes, it's fine.

A：你能吃惯日本菜吗 ?

B：能 , 我能吃惯 .

A：일식은 괜찮으세요 ?

B：네 , 괜찮습니다 .

6

A : It's time for me to go.

B : Really? Well, see you later then.

A：不好意思 , 我该走了 .

B：是吗。再见 .

A：이제그만 실례하겠습니다 .

B：그러시겠어요 ? 그럼 또 뵈요 .

7

A : Wow, that looks good. What is it?

B : This? It's a Chinese candy. Would you like to try one?

A：哇 , 看起来真好吃 , 那是什么 ?

B：这个 ? 这是中国的点心 . 尝一个 , 怎么样 ?

A：우와 ~ 맛있겠다 . 그건 뭐에요 ?

B：이거요 ? 중국 과자 . 하나 어떠세요 ?

8

A : When did you come to Japan?

B : About two months ago.

A：你是什么时候来日本的 ?

B：两个月以前 .

A：언제 일본에 왔어요 ?

B：두달전에요 .

9

A : What time is it now?

B : Let's see... It's 4:20.

A：现在几点 ?

B：嗯...4 点 20。

A：지금 , 몇시야 ?

B：음 - 그러니까 , 4 시 20 분 .

10

A : Where are you going for the holidays?

B : I'm going to the sea with my friend.

A：下次你放假的时候想去哪儿玩 ?

B：我想和朋友们一起去海边玩 .

A：이번 연휴 , 어디로 갈거에요 ?

B：친구와 바다에 갈거에요 .

1　A：あのー、学校の電話番号、わかりますか？

D　B：えーっとねー、03-3205-＊＊＊＊ 💡4

2　A：ビデオレンタルはいくらですか？

　　B：一泊３５０円です。

3　A：昨日、携帯を買いました。

　　B：へー、どこで買いましたか？

4　A：田中さんのうちはどこですか？

　　B：新宿です。学校に近いです。

5　A：パクさんの先生はどんな人ですか？

　　B：おもしろくてやさしい先生です。

6　A：山田さん、しゅみは何ですか？

D　B：しゅみ？　う〜ん、写真かな。

7　A：日本語の授業はどうですか？

　　B：とてもおもしろいと思います。

8　A：この写真、見てください。ハワイの写真です。

D　B：わー、きれいな海。

9　A：キムさんは日本人のボーイフレンドがいます。

　　B：へー、どんな人ですか？

　　A：親切な人です。それから、韓国語がわかります。

10　A：カラオケ！ カラオケ！ どうですか？ １時間1500円です。

　　B：う〜ん。ちょっとね〜。新宿のカラオケの方が安いですね。

　　A：あ、そうですか。じゃ、１時間1300円でどうですか？

　　B：う〜ん。まだちょっと高いですね〜。

P36

1
A : Hey, do you know the telephone number for the school?
B : Let's see... It's 03-3205-****.

A：唉↗你知道学校的电话号码吗？
B：嗯...03-3205-****

A：저기 -, 학교 전화번호, 알아요?
B：음 , 03-3205-****

2
A : How much does it cost to rent a video?
B : It's 350 yen for one day.

A：租一盘录像带要多少钱？
B：一晚上 350 日元 .

A：렌탈 비디오 얼마에요?
B：하루에 350 엔이에요 .

3
A : I bought a mobile phone yesterday.
B : Really? Where did you buy it?

A：昨天我买手机了 .
B：哎...在哪儿买的？

A：어제 , 핸드폰 샀어요 .
B：와 - 어디서 샀어요?

4
A : Where's Tanaka-san's house?
B : It's in Shinjuku, near school.

A：田中先生的家在哪儿？
B：就在新宿 , 离学校很近的 .

A：다나카상의 집은 어디에요?
B：신쥬쿠에요 . 학교랑 가까워요 .

5
A : What sort of person is Pak-san's sensei?
B : He's a kind and interesting person.

A：朴先生的老师是一个什么样的人？
B：他是一个又幽默又温柔的老师 .

A：박상의 선생님은 어떤 분이에요?
B：재밌고 자상한 선생님이에요 .

6
A : Yamada-san, what are your hobbies?
B : Hobbies...? I suppose photography.

A：山田先生的兴趣是什么？
B：兴趣？嗯...摄影吧 .

A：야마다씨 , 취미는 뭐에요?
B：취미? 으음 , 사진이려나 ,

7
A : How are your Japanese lessons?
B : I think they're very interesting.

A：日语课怎么样？
B：我觉得很有意思 .

A：일본어 수업은 어때요?
B：정말 재밌다고 생각해요 .

8
A : Please take a look at this photograph. It was taken in Hawaii.
B : Wow, what a beautiful sea.

A：请看这张照片 , 是我在夏威夷照的 .
B：哇...好漂亮的海啊 .

A：이 사진 , 봐보세요 . 하와이사진이에요 .
B：와 -, 예쁜 바다다 .

9
A : Kim-san has a Japanese boyfriend.
B : Really? What kind of person?
A : He's a gentle person. And he also understands Korean.

A：金小姐有一个日本男朋友 .
B：哎↗是个怎么样的人？
A：是个很热情的人 , 还有 , 他还会说一点韩国话呢 .

A：김상은 일본인 남자친구가 있어요 .
B：와 -, 어떤 사람이에요?
A：친절한 사람이에요 . 그리고 , 한국어를 알아들어요 .

10
A : Karaoke! Karaoke! How about it? 1500 yen for one hour.
B : Really? Well, the karaoke places near Shinjuku are cheaper...
A : Ah, really? Well, how about 1300 yen then?
B : Well... I think it's still a bit expensive...

A：卡拉 ok, 卡拉 ok 怎么样? 1 个小时 1500 日元 .
B：嗯...你们这儿有点贵呀 , 新宿那边很便宜的 .
A：哦 , 是吗? 那 ,1 个小时 1300 怎么样？
B：嗯...还是有点贵哦 .

A：노래방! 노래방! 어때요? 한 시간에 1500 엔이에요 .
B：으 - 음 , 저기요 , 신쥬쿠에 있는 노래방이 더 싸네요 .
A：아 , 그런가요 . 그럼 , 한 시간에 1300 엔은 어떻습니까?
B：으 - 음 , 그래도 좀 비싸네요 ~ .

1　A：木村さんの彼はどんな人ですか？
　　B：お金持ちです。

2　A：山田さんの家族はタバコを吸いますか？
　　B：いいえ。だれも吸いません。

3　A：ジョンさん、今日、どこで昼ご飯を食べますか？
D　B：ごめーん。もう食べちゃった。5

4　A：先生、今何時ですか？
　　B：あ、時間ですね。じゃ、すこし休みましょう。

5　A：いらっしゃいませ。お2人ですか？
　　B：はい。

6　A：きのうのサッカー、見ましたか？
D　B：ううん、あまり好きじゃないから。

7　A：うわー。そのくつ、かわいいね。
C　B：本当？　ありがとう。

8　A：あれ？　山田さん、どこ行くの？
C　B：ちょっとそこまで。

9　A：あのー、すみません。次の電車は何時に来ますか？
　　B：あ、今の電車が終電です。
　　A：終電？
　　B：ええ。電車は明日の朝まで来ません。

10　A：田中さんの誕生日はいつですか？
　　B：10月15日です。
　　A：えー！　私は17日です。近いですね。

P38

1 A : What kind of person is Kimura-san's boyfriend?

B : He's rich.

A : 木村小姐的男朋友是个什么样的人？

B : 是个有钱人.

A : 기무라상 남자친구는 어떤 사람이에요?

B : 부자에요.

2 A : Does anybody in Yamada-san's family smoke?

B : No, none of them smoke.

A : 山田先生的家人抽烟吗？

B : 不抽, 谁都不抽.

A : 야마다상 가족은 담배를 피나요?

B : 아뇨, 아무도 안펴요.

3 A : Where shall we eat lunch today, Jon-san?

B : Sorry, but I've already eaten.

A : 纯, 今天中午在哪儿吃饭.

B : 不好意思, 我已经吃过了.

A : 존상, 오늘, 어디서 점심 먹을거에요?

B : 미안. 벌써 먹어버렸어.

4 A : Sensei, what time is it now?

B : Ah, the time. Well, let's have a small break then.

A : 老师, 现在几点了？

B : 啊, 已经到时间了. 那我们休息吧.

A : 선생님, 지금 몇시에요?

B : 아, 시간됐네요. 그럼, 조금 쉽시다.

5 A : Welcome. Table for two?

B : Yes.

A : 欢迎光临, 您两位吗？

B : 是的.

A : 어서오세요. 두분이세요?

B : 네.

6 A : Did you see yesterday's soccer match?

B : Nope. I don't really like soccer that much.

A : 昨天的球赛, 你看了吗？

B : 嗯嗯, 我不是太喜欢足球.

A : 어제 축구, 봤어요?

B : 아뇨, 별로 안 좋아해서요.

7 A : Wow, those shoes are cute.

B : Really? Thanks.

A : 哇, 你的鞋好漂亮哦.

B : 真的？谢谢你.

A : 우와. 그 구두, 귀엽다.

B : 정말? 고마워.

8 A : Eh? Where are you going Yamada-san?

B : Nowhere in particular.

A : 哎？山田先生你去哪儿？

B : 到那边去一下. ※不想告诉对方具体去什么地方时的用法.

A : 어? 야마다상, 어디가요?

B : 저기 좀 …

9 A : Excuse me. What time does the next train come?

B : This train is the last one for today.

A : The last train?

B : Yes. There are no more trains coming until tomorrow morning.

A : 不好意思, 我想问一下, 下一班车什么时候来？

B : 啊, 刚才那班车已经是最后一班了.

A : 最后一班？

B : 是的, 一直到明天早上都不会有车了.

A : 저기, 죄송합니다. 다음 전철은 몇시에 와요?

B : 아, 지금 전철이 막차에요.

A : 막차?

B : 네, 전철은 내일 아침까지 오지 않아요.

10 A : When is Tanaka-san's birthday?

B : It's the fifteenth of October.

A : Really? Mine is the seventeenth. Very close, isn't it?

A : 田中先生的生日是什么时候？

B : 10 月 15 号.

A : 哎／我是 10 月 17 号, 和田中先生很近的.

A : 다나카상 생일은 언제에요?

B : 10 월 15 일이에요.

A : 엣! 저는 17일이에요. 가깝네요.

39

1　A：このへんに、駅、ありますか？
　　B：ええ、すぐそこです。

2　A：その辞書はいくらですか？
　　B：3000円です。

3　A：このノートはだれのですか？
　　B：あ、それ？　サラさんのです。

4　A：山田さんの部屋は新しいですか？
　　B：いえ、古いです。でもきれいです。

5　A：田中さんの部屋はきれいですか？
　　B：いえ、きれいじゃありません。でも新しいです。

6　A：あ〜あ、今日は暑いですね。
　　B：そうですね〜。今日もビールがおいしいですね。

7　A：サラさんは字がきれいですね。
D　B：どれ？　見せて。あ、本当だ。

8　A：え、アイス〜？　寒くないですか？
　　B：ええ、おいしいですよ。

9　A：映画、どうでしたか？
　　B：おもしろかったですよ。

10　A：これは何ですか？
D　B：これ？　あー、これ、お好み焼き🦶6。
　　A：え？　お好み？
　　B：うん。お好み焼き。おいしいよ。

1

A : Is there a station near here?

B : Yes. It's right over there.

A：这附近有车站吗？

B：嗯，就在那儿．

A：이 주변에 , 역 , 있습니까 ?

B：예 , 바로 저기에요 .

2

A : How much is that dictionary?

B : It's 3000 yen.

A：那个词典多少钱？

B：3000 日元．

A：그 사전은 얼마에요 ?

B：3000 엔이에요 .

3

A : Whose notebook is this?

B : That one? That's Sara-san's.

A：这个笔记本是谁的？

B：嗯，那个？是撒拉的．

A：이 노트는 누구 거에요 ?

B：아 , 그거 ? 사라상 거에요 .

4

A : Yamada-san, do you have a new room?

B : No, it's old. But it's very nice.

A：山田先生的家很新吗？

B：不，有点旧，不过很干净．

A：야마다상의 방은 새 거에요 ?

B：아니요 , 낡았어요 . 그치만 , 깨끗해요 .

5

A : Tanaka-san, Is your room tidy?

B : No, it is not tidy. But it's new.

A：田中先生的家很漂亮吗？

B：不漂亮，不过很新．

A：다나카상의 방은 깨끗해요 ?

B：아니요 , 깨끗하지 않아요 . 그치만 새 거에요 .

6

A : Wow. It's really hot today.

B : Yeah, it is. The beer tastes very good today as well.

A：啊，今天真热啊．

B：是呀，今天也是喝啤酒的好日子啊．

A：아 ~, 오늘은 덥네요 .

B：그렇네요 ~. 오늘도 맥주가 맛있네요 .

7

A : Your handwriting is very neat, Sara-san.

B : Which bit? Show me. Ah. So it is.

A：撒拉小姐的字真漂亮啊．

B：谁？让我看看．啊，真的很漂亮．

A：사라상는 글씨가 예쁘네요 .

B：어디 ? 보여줘 . 아 , 진짜네 .

8

A : Eh? Ice cream? Isn't it a bit too cold?

B : No, it's delicious.

A：哎↗冰淇淋？ 你不怕冷啊？

B：不，很好吃的．

A：어 , 아이스크림 ~? 안 추워요 ?

B：예 , 맛있어요 .

9

A : How was the movie?

B : It was really interesting.

A：你看的电影怎么样？

B：挺好看的．

A：영화 , 어땠어요 ?

B：재밌었어요 .

10

A : What's this?

B : This? This is okonomiyaki.

A : Eh? okonomi what?

B : It's okonomiyaki. It's really delicious.

A：这是什么呀？

B：这个？嗯，这个叫 OKONOMI-YAKI．

A：哎 ?OKONOMIYAKI?

B：嗯，OKONOMIYAKI 真好吃．

A：이건 뭐에요 ?

B：이거? 아 -, 이거 , 오코노미야끼 .

A：음 ? 오코노미 ?(취향 ?)

B：응 , 오코노미야끼 . 맛있어 !

1 A：あー、うまかった。
C B：本当、おいしかったね。

2 A：あー、_{わたしの}おなかいっぱい。
C B：私も。

3 A：ごちそうさまでした。とってもおいしかったです。
B：いいえ、どういたしまして。

4 A：デザート食べますか？
B：いいですね。

5 A：たくさん食べてくださいね。
B：はい、いただきまーす。

6 A：この店、サービスもいいし、料理もおいしいし…。
C B：そうだね。また来たいね。

7 A：この店、どうだった？
C B：う〜ん、料理はいいけど、サービスがちょっとね…7。

8 A：これもおいしいよ。あっ、それからこれも…。
C B：本当だ。おいしそう！

9 A：これ、おいしいよ。ちょっと食べてみる？
C B：うん、ありがとう。

10 A：豚肉はちょっと…。
C B：あ、そうなんだ。

1 A : Wow. That was good.

 B : Yeah, it really was. It was delicious.

A：啊，真好吃．

B：嗯，真好吃．

A：아, 맛있었다．

B：정말, 맛있었어．

2 A : Ah. I'm stuffed.

 B : Me too.

A：啊，吃饱了．

B：我也是．

A：아. 배불러．

B：나도．

3 A : Thank you for the meal. It was really delicious.

 B : Really, it was no trouble at all.

A：谢谢您的盛情款待，真好吃．

B：不用客气．

A：잘 먹었습니다. 너무 맛있었어요．

B：아뇨, 별말씀을요．

4 A : Would you care for some dessert?

 B : That would be wonderful.

A：来点儿餐后甜点怎么样？

B：好啊．

A：디저트 먹을까요？

B：좋아요．

5 A : Please eat as much as you want.

 B : Thank you very much.

A：多吃点．

B：好，那就不客气了．

A：많이 드세요．

B：네, 잘 먹겠습니다．

6 A : The service and food at this restaurant are very good.

 B : I couldn't agree more. Let's come here again.

A：这家店的服务又好，菜又好吃．

B：对，还想再来吃哦．

A：이 가게, 서비스도 좋고, 요리도 맛있고…

B：그래, 또 오고 싶어．

7 A : How was this restaurant?

 B : Well, the food was good, but the service left a bit to be desired.

A：这家店怎么样？

B：嗯，菜还行，就是服务有点…

A：이 가게, 어땠어？

B：음, 요리는 괜찮은데, 서비스가 좀….

8 A : This is delicious as well. Ah. This is very good too...

 B : So it is. It looks really tasty!

A：这个也好吃．啊，还有这个．

B：嗯，看起来就好吃．

A：이것도 맛있어. 아, 그리고 이것도…

B：정말이네. 맛있겠다！

9 A : This is very good. Would you like to try some?

 B : Yes, please. Thank you.

A：这个蛮好吃的，你尝一个？

B：嗯，谢谢．

A：이거, 맛있어. 좀 먹어볼래？

B：응, 고마워．

10 A : I'm not too keen on pork...

 B : Ah. I see

A：我吃不了猪肉…

B：哦，是吗？

A：돼지고기는 좀….

B：아, 그렇구나．

解 説 ◆ explanation 解说 해설

1 お先に失礼します

仕事が終わって職場を出る際に、残っている人に言う挨拶です。

When you are about to go home from work, you say this to the people that are still working.

意思是在工作结束之后要离开工作岗位时，向其他还在继续工作的人说的寒暄语．

일이 끝나고 직장을 나설 때，남아있는 사람에게 건네는 인사．

2 平成 18 年

日本では西暦の他に、日本の年号も使われています。1989年に天皇が新しくなり平成がスタートしました。ですから2006年は平成18年になります。

In addition to the western system for counting years, another system is also used in Japan. In 1989 a new Japanese Emperor was installed and that became the start of the Heisei period. Thus 2006 is the eighteenth year of Heisei.

在日本除了用公历计年之外，还用日本天皇的年号来计年．由于1989年新天皇的继位，新的平成年也就开始了．所以2006年也是平成18年．

일본에서는 서기 (서력) 이외에，일본의 연호도 사용되고 있습니다．1989년에 천황이 새로 바뀌어 [平成 (헤이세이)] 가 시작 되었습니다．그러므로 2006 년은 평성 18 년이 됩니다．

3 デジカメ

デジタルカメラの略です。

An abbreviation for digital camera.

「デジカメ」(dejikame) 是「デジタルカメラ」(dejitarukamera) 的简略说法．

디지털 카메라의 줄임말입니다．

4 03-3205-＊＊＊＊

電話番号の場合、「-」の読み方は「の」です。「03の3205の＊＊＊＊」と読みます。

The way to read a dash (-) in a telephone number is 'no'. So you say '03 no 3205 no ＊＊＊＊'.

在读电话号码时，「-」被读作「杠」．比方说「03-3205-＊＊＊＊」就被读作「03杠3205杠＊＊＊＊」。

전화번호의 경우「-」의 읽기 방법은「の」입니다．「03の3205の＊＊＊＊」라고 읽습니다．

5 もう食べちゃった

「て形＋しまいました」は完了の表現です。「〜ちゃった」はこの表現のカジュアルな言い方です。

In Japanese the て -form +しまいました is a way to express that something has ended. 〜ちゃった is the casual form of this expression.

「て形＋しまいました」(te-形 + shi-ma-i-ma-shi-ta) 是表示完成的时态．「〜ちゃった (〜chatta)」是这个完成时态的简略（口语）形式．

「て形＋しまいました」는 완료의 표현입니다．「〜ちゃった」는 이 표현의 회화체표현입니다．

6 お好み焼き

お好み焼きは鉄板の上で焼くピザのような料理です。お好み焼きは大阪と広島が有名です。

Okonomiyaki is a dish that is baked on an iron plate and looks a bit like a pizza. Osaka and Hiroshima are famous places for okonomiyaki.

「お好み焼き」(o-ko-no-mi-ya-ki) 是日本独特,而具有盛名的小吃．它是在烧热的铁板上烤像比萨一样的饼.日本的大阪和广岛的「お好み焼き」(o-ko-no-mi-ya-ki) 是最有名的．

오코노미야끼는 철판 위에서 굽는 피자 같은 요리 입니다．오코노미야끼는 오사카와 히로시마가 유명합니다．

7 ちょっとね

ここでは「ちょっとね…」は「よくない/悪い」という意味です。曖昧に言いたい時に使います。

The usage of ちょっとね… here has the meaning of not good. You can use it when you don't want to be too direct.

在这里的「ちょっとね…」(chotto-ne) 主要是指不好或者不行（坏）的意思．在不想正面回答对方的问题时用的句型．

여기서는「ちょっとね…」는「좋지 않다 / 나쁘다」라는 의미 입니다．애매하게 말하고 싶을 때 사용합니다．

Unit

2

ここでは、季節のあいさつや少し長い表現にもチャレンジして
みましょう。情報をもらったり伝えたりできるようになります。

In this unit, let's try and challenge ourselves a bit more with seasons greetings and
slightly longer expressions. You'll become able to receive and convey information.

在这儿，也来试着挑战一下季节的寒暄语和较长的表达方式吧。能够变得迅速地得
到信息以及传达信息。

여기에서는 계절에 관련된 인사나 조금 긴 표현에도 도전해 봅시다 . 정보를 얻는다든
지 전한다든지 할 수 있게 됩니다 .

Level ★★☆☆

可能形　た形	• もう / まだ
Potential form, た form	• 〜たほうがいい
	• 〜てくれる
可能形　た形	• 〜つもり
	• 〜んです
가능형　た형	etc.

1 A：どこ行くの？
C B：ちょっとそこまで。

2 A：どこ行くの？
C B：ちょっと、コンビニ💡1にお弁当を買いに。

3 A：一緒にお昼食べない？
C B：うん、いいね。何食べたい？

4 A：一緒にお昼食べない？
C B：あ、ごめん。もう食べちゃった。

5 A：ねー、一緒にお昼食べない？
C B：あ、ちょっと待って。食べる前に友だちに電話したいんだ。

6 A：ねー、何か書くものある。
C B：え、ペン？ それとも紙？

7 A：あ〜、飲みすぎた。ちょっと酔っぱらったよ。
C B：う〜ん。眠くなってきた。

8 A：山田さん、おいくつですか？
B：えっ！ ひみつです。聞かないで。

9 A：この漢字の読みかた教えて。
C B：う〜ん。わかんないなー。他の人に聞いて。

10 A：はい、もしもし。
C B：危ないよ。運転しながらは。

P46

1

A : Where are you going?

B : Nowhere in particular.

A：你要去哪儿？

B：我到那边去一下．不想正面回答对方问题时的用法。

A：어디가？

B：잠깐 저기까지．

2

A : Where are you going?

B : I'm just going to the convenience store to buy a lunch-box.

A：你去哪儿？

B：我去便利店买盒饭．

A：어디가？

B：잠깐，편의점에 도시락 사러．

3

A : Do you want to eat lunch together?

B : Sounds good. What do you want to eat?

A：唉，一块吃午饭吧？

B：嗯，好啊，你想吃什么？

A：같이 점심 안 먹을래？

B：응，좋아．뭐 먹을래？

4

A : Do you want to eat lunch together?

B : Sorry, I've already eaten.

A：一起吃午饭吧？

B：啊，不好意思，我已经吃过了．

A：같이 점심 안 먹을래？

B：아，미안．벌써 먹어버렸어．

5

A : Do you want to eat lunch together?

B : Ah, hold on. Before eating I want to call a friend.

A：喂，一起去吃饭吗？

B：啊，等一下．让我给朋友打个电话再吃．

A：저기，같이 점심 안 먹을래？

B：어，잠깐만 기다려．먹기 전에 친구한테 전화 하고 싶거든．

6

A : Hey, do you have something to write with?

B : What do you mean? A pen? Or do you mean paper?

A：喂，有能写字的东西吗？

B：哎，你想要笔？还是纸？

A：저기，아무거나 적을 거 있어？

B：응？펜？아니면 종이？

7

A : Ah, I drank too much. I'm a bit light headed.

B : Yeah, I'm feeling sleepy.

A：啊，喝多了．有点醉了．

B：嗯...有点醉了．

A：아～，너무 많이 마셨어．좀 취했어요．

B：으-응，졸리기 시작했어．

8

A : Yamada-san, how old are you?

B : Hey! That's a secret. Don't ask about that sort of thing.

A：山田先生，你多大了？

B：哎↗那可是秘密，别问了．

A：야마다상，몇 살이세요？

B：앗！비밀이에요．물어보지 마．

9

A : Can you tell me how to read this kanji?

B : Hmm, I don't know. Please ask somebody else.

A：请教我这个汉字的读音。

B：嗯，我也不知道．你还是问问别人吧．

A：이 한자，읽는법 가르쳐줘．

B：으-음，모르겠는데-，다른 사람한테 물어봐．

10

A : Hello.

B : It's dangerous to do that while you're driving, you know.

A：喂，你好．

B：很危险的，你一边开车还一边．

A：예．여보세요．

B：위험하다고．운전중엔．

P48

1 A：昨日、暑かったね。
C B：本当。暑くて暑くて…。寝られなかったよ。

2 A：田中さんの彼女ってどの人ですか？
D B：ほら、あそこで電話してる人。

3 A：今夜飲みに行きませんか？
B：いいですね。行きましょう。

4 A：ねー、パンを食べるの「を」って、パソコンでどう書くんですか？
B：ＷＯですよ。
ダブリューオー

5 A：あれ？　あんまり食べないねー。
D B：う〜ん、今日はおなかの調子があまり良くないんです。

6 A：あ〜、新しい言葉がたくさんある…。
C B：本当、頭が変になりそう…。

7 A：ずいぶん涼しくなりましたね。
B：そうですね。

8 A：あれ？　ここ携帯使えないんだ。
C B：うん。地下だからね。

9 A：日本に来てどれぐらいになりますか？
B：２年半になります。

10 A：山田さんはどちらにお住まいですか？
B：この近所に住んでいます。すぐそこです。

1
A : It was very warm yesterday, don't you think?
B : You said it. It was so hot I wasn't able to sleep at all.

A：昨天，真是热死人了．
B：就是，热得我都睡不着．

A：어제, 더웠지.
B：진짜. 더워서 더워서… 잠을 못 잤어.

2
A : Which one is Tanaka-san's girlfriend?
B : Look, it's the person on the phone over there.

A：哪个是田中的女朋友？
B：就是在那儿打电话的那个人．

A：다나카상 여자친구는 누구에요?
B：봐, 저기서 전화하고 있는 사람

3
A : Do you want to go out for a drink tonight?
B : Sounds good. Let's go.

A：今天晚上去喝酒吧？
B：好啊，一起去．

A：오늘밤 마시러 가지않을래요?
B：좋죠. 갑시다.

4
A : Hey, on a computer how do you enter the を in the sentence "pan wo taberu".
B : By typing the letters W and O.

A：喂，「パンを食べる」(吃面包) 用的助词「を」怎么输到电脑里去呢？
B：先按 W 再按 O 就可以了．

A：저기, 빵을 먹다의 「を」는 컴퓨터에서 어떻게 치는 거에요?
B：WO 에요

5
A : Huh? You don't eat much, do you?
B : Yeah, my stomach is a little bit upset today.

A：哎╱你怎么不吃啊？
B：嗯…今天我肚子不太舒服．

A：어? 별로 안먹네 -.
B：음, 오늘은 속이 별로 좋질않아서요.

6
A : There are a lot of new words...
B : You're not kidding. My head is starting to hurt.

A：啊，有好多新单词呀．
B：真的，脑子都变得奇奇怪怪的了．

A：아 ~, 새로운 단어가 너무 많아…
B：정말, 머리가 이상해질 거 같아…

7
A : It's cooled down quite a lot.
B : It has, hasn't it?

A：现在已经变得相当凉快了．
B：是啊．

A：꽤 선선해졌어요.
B：그러네요.

8
A : What! I can't use my mobile phone here.
B : Yeah, that's because we're underground.

A：哎？我的手机怎么不能用了？
B：嗯，现在在地下啊．

A：어? 여기 휴대폰 안되는데.
B：응. 지하라 그래.

9
A : How long has it been since you came to Japan?
B : It'll soon be two and a half years.

A：你来日本多长时间了？
B：已经 2 年半了．

A：일본에 온지 얼마정도 됐습니까?
B：2 년반 정도 됐습니다.

10
A : Where do you live, Yamada-san?
B : I live in this neighbourhood. It's not far from here.

A：山田先生你住在哪儿？
B：就在这儿附近．就是那儿．

A：야마다상은 어디 살고 계십니까?
B：이 근처에 살고 있습니다. 바로 저깁니다.

1 A：日本語すごいね。上手になったね。

D B：いやー、だんだんむずかしくなってきました。

P50

2 A：日本語の辞書がほしいんだ。

C B：へー、先生に聞いてから買いに行ったら？

3 A：まだ寒い？

B：うん、このストーブ、ついてますか？

4 A：この辺は春になるとさくらがきれいでしょうね。

B：ええ、みごとですよ。

5 A：大阪に行ったら、知らない日本語をたくさん聞きました。

B：あー、それは方言ですよ。場所によって言葉がちがうんです。

6 A：わー、この携帯、テレビが見られるんだ。

C B：うん、そうなんだ。あんまり使わないけどね。

7 A：あまり飲みませんね。

B：ええ。私、お酒、弱いんです。

8 A：ここは勉強するところですから、寝る人は別の部屋へ行ってください。

B：わかりました…。

9 A：あれ？　めがね…。どこいったかな〜。

C B：ん？　めがね？　どっかで見たよ。

10 A：あれ？　もう食べないの？

C B：うん。さっき軽く食べちゃったんだ。

1
A : Your Japanese has really improved.
B : Not really. It's been getting harder lately.

A：你的日语真厉害，说得真好．
B：哪里，现在越来越难了．

A：일본어 대단한데 . 능숙해졌구나 .
B：아니 -, 점점 어려워지고 있어요 .

2
A : I really want a Japanese dictionary.
B : Really? Why don't you go and buy one after you talk to sensei?

A：我想买一本日语字典．
B：哎...你先问一下老师，再去买？

A：일본어 사전이 갖고싶은데 .
B：어 -, 선생님한테 물어보고 나서 사러 가는 건 어때 ?

3
A : Are you still cold?
B : Yes, is this heater on?

A：还冷吗？
B：嗯，这个电暖气开着呢吗？

A：아직도 추워 ?
B：응 , 이 스토브 , 켜져 있어요 ?

4
A : In spring it's very beautiful around here when the cherry blossoms bloom.
B : Yes, it's magnificent.

A：这附近一到春天樱花一开应该很漂亮吧？
B：嗯，那可不是一般的好看哟．

A：이 주변은 봄이 되면 벚꽃이 예쁘겠죠 .
B：예 . 아름다워요 .

5
A : When I went to Osaka I heard a lot of Japanese that I'd never heard before.
B : Ah, that's a dialect. The language is a bit different depending on where you are.

A：到了大阪，听到了许多没听过的日语．
B：哦，那是方言，地方不一样方言也不一样的．

A：오사카에 갔더니 , 모르는 일본어를 많이 들었어요 .
B：아 -. 그건 사투리에요 . 장소 (지역) 에 따라 단어가 틀리거든요 .

6
A : Wow, you can watch TV on this mobile phone.
B : Yeah... I don't think you'll use it much though.

A：哇，你这个手机可以看电视的．
B：嗯，可以看是可以看，我不太看．

A：와 -, 이 핸드폰 , TV 도 볼수있구나 .
B：응 , 그래 . 별로 쓰진 않지만 말야 .

7
A : You don't drink much, do you?
B : Yeah, I'm not a very strong drinker.

A：你没太喝多少酒嘛．
B：嗯，我不会喝酒．

A：별로 안 마시네요 .
B：예 . 저 , 술 , 약하거든요 .

8
A : This is a place to study so if you want to sleep please go to a different room.
B : I understand.

A：这个房间是用来学习的，想睡觉的人请到别的房间去．
B：知道了．

A：여긴 공부하는 곳이니까 , 잘 사람은 다른 방에 가 주세요 .
B：알겠습니다…..

9
A : What? Where did my glasses go?
B : Glasses? I saw them somewhere.

A：哎↗我的眼镜，到哪儿去了？
B：嗯，你的眼镜，我好像在哪儿看见来着．

A：어라 ? 안경… 어디간거야 ~ .
B：응 ? 안경 ? 어디선가 봤었다구 .

10
A : Huh? You're already finished eating?
B : Yeah, I ate a light meal before.

A：哎↗不吃了？
B：嗯，刚才稍微吃了点儿．

A：어라 ? 이제 안 먹는거야 ?
B：응 . 좀 전에 가볍게 먹어버렸거든 .

1 A：いつも日曜日、何をしているの？
C B：うーん、テレビ見たりマンガ読んだり…。ゴロゴロ🖐²してるよ。

2 A：ねー、このCD なんでこんなに安いんだろう？
C B：うん、なんでだろうね。偽物かもね。

3 A：夏休みはどうするの？
D B：1人で中国に行くつもりです。

4 A：日本の生活はどう？　もうなれた？
D B：ええ。生のもの🖐³も食べられるようになりました。

5 A：あ、リサさん、ひさしぶり。今、何をしているんですか？
B：新宿で英語を教えています。

6 A：学校までどうやって来るんですか？
B：うちから山手線で一本🖐⁴です。

7 A：ねー、そろそろ行きませんか？
D B：あ、ちょっと待って。その前にトイレトイレ。

8 A：ねー、もう宿題した？
C B：ううん。土日にするつもりだけど。

9 A：鈴木さんはどこに住んでいるの？
C B：中野駅のそば。ピーターさんは？

10 A：知らない人についていっちゃだめだよ。
C B：はーい。

1

A：What do you do every Sunday?

B：Well, I watch TV, read comics... just relaxing really.

A：你星期天一般都做什么？

B：嗯...看看电视，看看漫画书，总之在家闲呆着．

A：일요일엔 늘, 뭐 해?

B：으-음, 티비 보거나 만화책 보거나… 뒹굴뒹굴거리고 있어.

2

A：Hey, why is this CD so cheap?

B：I don't know. Maybe it's a fake?

A：哎↗这个 CD 为什么这么便宜？

B：嗯，是啊，可能是盗版吧．

A：야-, 이 씨디 왜 이렇게 싼거야?

B：응, 왜그럴까. 가짜일지도.

3

A：What are you going to do in the summer holidays?

B：I'm planning on going to China by myself.

A：暑假你准备做什么？

B：我打算一个人去中国．

A：여름방학은 어떻게 할건가요?

B：혼자서 중국에 갈 겁니다.

4

A：How is life in Japan? Are you used to it already?

B：Yeah, I can now eat raw foods.

A：你在日本的生活怎么样？已经习惯了吗？

B：嗯，现在已经可以吃生的东西了．

A：일본 생활은 어때요? 벌써 적응됐어?

B：네. 날음식도 먹을 수 있게 됐습니다.

5

A：Long time no see Lee-san. What are you doing these days?

B：I'm teaching English in Shinjuku.

A：啊，梨萨好久不见了．你现在在忙什么呢？

B：我在新宿教英语呢．

A：아, 리사상, 오랜만. 지금, 뭐하고 있어요?

B：신주쿠에서 영어를 가르치고 있습니다.

6

A：How do you get to school?

B：From my house I only have to take the Yamanote line.

A：你从家到学校是怎么来的？

B：我是坐山手线来的．

A：학교까지 어떻게 옵니까?

B：집에서 야마노테선으로 바로입니다.

7

A：Hey, isn't it time for us to go?

B：Ah, hold on. Before we go I have to go to the toilet.

A：喂，我们该走了吧？

B：啊，等一下，我要去厕所，厕所．

A：저기-, 이제 슬슬 가지않으시겠어요?

B：아, 잠깐만 기다려요. 그전에 화장실, 화장실.

8

A：Hey, have you done the homework already?

B：Nope. I plan to do it on Saturday.

A：喂，你作业已经做完了吗？

B：没，我准备星期六，天做．

A：있지-, 벌써 숙제했어?

B：아니. 주말에 할 생각인데.

9

A：Where do you live, Suzuki-san?

B：I live close to Nakano station. What about you, Peter-san?

A：铃木先生住在哪儿？

B：在中野车站的旁边，那皮丹先生呢？

A：스즈키상은 어디에 살고 있어?

B：나카노역 근처. 피터상은?

10

A：Don't follow any strangers.

B：OK.

A：不许跟随着陌生人．

B：哦，我知道了．

A：모르는 사람 따라가면 안돼.

B：네-.

1　A：すみません。ちょっと聞き取れませんでした。
　　B：あ、ごめんなさい。

2　A：木村先生ってだれだっけ？
C　B：ほら⑤、めがねかけて、背が高い先生だよ。

3　A：寒くないの？
D　B：あ、大丈夫です。

4　A：山田さんのお別れ会、何時からだっけ？
C　B：明日の8時だと思うけど。

5　A：見て、この写真。
C　B：あー、なつかしいね。

6　A：ここのレストラン、ランチタイムはビール200円なんだって。
　　B：へー、知らなかった。安いですね。

7　A：先生、どうして日本語の先生になったんですか？
　　B：色々な人に会えるから楽しいと思ったんです。

8　A：まだ雨、降っていますか？
　　B：いいえ、もう降っていませんよ。

9　A：愛子さん、そのスカート、とっても似合ってるね。
C　B：あ、そう？　どうもありがとう。

10　A：まだ雨、降っていますか？
　　B：いいえ、もうやみましたよ。

1 A : I'm sorry, I didn't hear what you said.
　B : Ah, sorry.

2 A : Who's Kimura-sensei again?
　B : He's the tall sensei wearing glasses.

3 A : Aren't you cold?
　B : No, I'm fine.

4 A : What time was Yamada-san's farewell party again?
　B : I believe it's at eight o'clock tomorrow.

5 A : Look at this photograph.
　B : Ah, that brings back memories.

6 A : At this restaurant, beer is 200 yen at lunchtime.
　B : Really? I didn't know that. That's really cheap.

7 A : Sensei, why did you become a Japanese teacher?
　B : Well, because meeting lots of different people seemed like fun.

8 A : Is it still raining?
　B : No, it isn't raining anymore.

9 A : This skirt suits you really well Aiko-san.
　B : Ah, really? Thank you.

10 A : Is it still raining?
　B : No, it's stopped already.

---

1 A：对不起，我没听清您说什么？
　B：啊，不好意思.

2 A：木村老师是哪个来着？
　B：喏，就是那个戴着眼镜，个儿挺高的那个老师.

3 A：不冷吗？
　B：嗯，没事儿.

4 A：山田先生的送别会，是什么时候开始来着？
　B：好像是明天8点吧.

5 A：你看这张照片.
　B：啊，真怀念以前啊.

6 A：听说这家餐厅的午餐啤酒才200日元.
　B：哎↗真便宜，我都没听说过.

7 A：老师，你为什么选择做了日语老师呢？
　B：嗯，我觉得能够认识各种各样国家的人对我来说非常愉快.

8 A：还在下雨吗？
　B：已经不下了.

9 A：爱子，你的那条裙子很适合你.
　B：哦，是吗？谢谢你.

10 A：雨还在下吗？
　B：已经停了.

---

1 A：죄송해요. 잘 못 알아 들었어요.
　B：아，미안해요.

2 A：기무라선생님이 누구였더라？
　B：봐，안경 쓰고，키 큰 사람이야.

3 A：안 추워？
　B：아，괜찮아요.

4 A：야마다상 송별회，몇 시부터였더라？
　B：내일 8시라고 생각하는데.

5 A：봐봐，이 사진.
　B：아-，그리워라-.

6 A：여기 레스토랑，런치타임에는 맥주 200 엔이래.
　B：와-몰랐어. 싸네요.

7 A：선생님，왜 일본어선생님이 됐나요？
　B：예. 여러 사람들과 만날 수 있으니까 즐거울 거라고 생각했었거든요.

8 A：아직도 비，내리고 있어요？
　B：아니요，이제 내리고 있지 않아요.

9 A：아이코상. 그 치마，되게 어울리는데.
　B：아，그래？정말 고마워.

10 A：아직도 비，내리고 있어요？
　B：아니요，이미 그쳤어요.

55

1　A：ねー、ねー、あのさ〜。
C　B：あ、ちょっとごめんね。後でもいい？

2　A：ねーねー、今日、キムさんが初めて宿題してきたんだよ。
C　B：へ〜！　明日は雪だね💡6。

3　A：来週の土曜、映画に行くけど、一緒に行きませんか？
　　B：あ、土曜日はちょっと…。

4　A：すみません。ちょっとよろしいですか？
　　B：あ、リカルドさん、何ですか。

5　A：ふふ。昨日ねー、愛子さんとデートしたんだ。
C　B：え〜、すごい！　で、楽しかった？　どこ行って何したの？

6　A：今日は午後から台風が来るそうですね。
D　B：うん、早く帰った方がいいね。

7　A：ねー、まだバス来ないの？
C　B：うん、遅いね。

8　A：あれ？　この時計、合ってる？
C　B：うん、私のと同じだけど。

9　A：レポート、これでいいですか？
　　B：はい。いいようですね。がんばりましたね。

10　A：明日の飲み会、来られる？
C　B：うん、ちょっと遅れて行くよ。

1

A : Hey listen...

B : Sorry, could you wait a little bit?

A：喂，喂，那什么---.

B：啊，不好意思，呆会儿好吗？

A : 야 , 야 , 있잖아 .

B : 아 , 좀 미안한데 . 나중에 , 괜찮겠어 ?

2

A : Hey, Kim-san brought his homework for the first time today!

B : I don't believe it! Pigs will be flying tomorrow.

A：喂，小金今天第一次把作业做完了来的 .

B：唉...今天太阳打西边出来了 .

A : 야 -, 야 , 오늘 , 김상이 처음으로 숙제해왔어 .

B : 에 ! 내일은 해가 서쪽에서 뜨겠다 .

3

A : On Saturday next week we're going to watch a film, would you like to come with us?

B : Um, Saturday's a little bit difficult...

A：下星期六我要去看电影，我们一起去吧？

B：啊，我星期六不行 .

A : 다음주 토요일 , 영화보러 갈건데 , 같이 갈래요 ?

B : 아 , 토요일은 좀…

4

A : Excuse me, are you busy?

B : Ah Ricardo-san, how can I help?

A：不好意思，您现在方便吗？

B：啊，是利卡露顿呀，有事儿吗？

A : 실례합니다 . 좀 괜찮을까요 ?

B : 아 , 리카루도상 , 무슨 일이시죠 ?

5

A : Yesterday I went on a date with Aiko-san.

B : Wow! Did you have a good time? Where did you go? What did you do?

A：嘻嘻...昨天呀，我和爱子约会了 .

B：哎，你可真厉害，怎么样？玩得愉快吗？都去哪儿干什么了？

A : 유후 . 오늘 -, 아이코상이랑 데이트했지 .

B : 에 -, 대단해 ! 즐거웠어 ? 어디가서 뭐했어 ?

6

A : There's a typhoon coming this afternoon, isn't there?

B : Yeah, I think it's better to go home early.

A：听说今天下午要刮台风 .

B：嗯，还是早点儿回家比较好 .

A : 오늘은 오후부터 태풍이 온다네요 .

B : 응 , 빨리 돌아가는게 좋아 .

7

A : The bus still hasn't come?

B : Yeah, it's late isn't it.

A：喂，公共汽车怎么还不来？

B：就是，真慢 .

A : 저기 , 아직 버스 안와 ?

B : 응 , 늦네 .

8

A : Hang on, is this clock right?

B : Yeah, it's telling the same time as my watch.

A：哎╱这表，准不准呀？

B：嗯，和我的表一样 .

A : 어 ? 이 시계 , 맞는거야 ?

B : 응 , 내거랑 같은걸 .

9

A : Is this report all right?

B : Yes. This looks good. You put in a lot of effort didn't you?

A：论文，这样就行了吗？

B：行，据说这样就可以了，反正你也努力过了 .

A : 레포트 , 이걸로 괜찮을까요 ?

B : 네 . 괜 찮은거 같은데요 . 애썼어요 .

10

A : Can you come to the drinking party tomorrow?

B : Yeah but I'll be a little bit late.

A：明天的聚会，你能来吗？

B：嗯，我稍微晚点儿去 .

A : 내일 술모임 , 올 수 있어 ?

B : 응 , 좀 늦게 갈거야 .

1 A : 駅に着いたら、電話して。迎えに行くよ。

C B : ありがとう。よろしく！

2 A : お先に失礼します。

D B : おつかれさま。

3 A : いい天気だね。

C B : どこか行きたいね。

4 A : まだ仕事？

C B : うん、今日はまだ終われないんだ。

5 A : 今日、何しようか。

C B : ピザ食べながら、DVD 見ようよ。

6 A : ワールドカップ、どこが勝つと思う？

C B : うーん。どこかな。でも日本にがんばってほしいと思うよ。

7 A : すみません、道を教えてもらえませんか？

B : はい、どこですか。

8 A : あ、サイフ忘れちゃった！

C B : 貸してあげるよ。

9 A : 会議が終わったら、電話してください。

B : わかりました。

10 A : 昨日行ったレストラン、おいしかったね。

C B : うん、とくにデザートがね。

1

A：When you arrive at the station, give me a call. I'll come and pick you up.

B：Thanks.

A：你要是到了车站的话，就给我打电话，我去接你．

B：谢谢，那就拜托你了．

A：역에 도착하면, 전화해. 마중하러 갈게.

B：고마워. 잘 부탁해!

2

A：Excuse me for leaving early.

B：See you tomorrow.

A：不好意思，我先走了．

B：辛苦了．

A：먼저 가 보겠습니다.

B：수고했어.

3

A：Nice weather isn't it?

B：Yeah I feel like going somewhere.

A：今天天气真好啊．

B：真想去哪儿玩玩呀．

A：좋은 날씨네.

B：어딘가 가고 싶어.

4

A：Still working?

B：Yeah, I can't finish yet.

A：你还要工作吗？

B：嗯，今天的工作还没做完呢．

A：아직도 일해?

B：응, 오늘은 아직 끝낼 수 없거든.

5

A：What shall we do today?

B：Let's eat some pizza and watch a DVD.

A：我们今天干什么呀？

B：一边吃比萨，一边看 DVD 吧．

A：오늘, 뭐 할까.

B：피자 먹으면서, DVD 보자.

6

A：Who do you think will win the World Cup?

B：Yeah, I wonder. I'd like Japan to put in a good effort.

A：你觉得今年的世界杯，哪个国家的队能赢？

B：嗯...哪个国家的队能赢呢？我当然还是希望日本队赢喽．

A：월드컵, 어디가 이길 거라고 생각해?

B：으음, 어딜까. 그래도 일본이 열심히 했으면 해.

7

A：Excuse me, could you give me some directions please?

B：Yes, where do you want to go?

A：不好意思，您能告诉我这条路怎么走吗？

B：好啊，您要去哪儿？

A：죄송합니다만, 길 좀 가르쳐 주실래요?

B：예, 어디인가요?

8

A：Ah, I forgot my wallet!

B：I'll lend you some money.

A：啊，我忘了带钱包了．

B：我借给你吧．

A：아, 지갑 잊어버렸다!

B：내가 빌려줄게.

9

A：When the meeting ends, give me a call.

B：Sure.

A：会议结束了的话，请给我来个电话．

B：好，明白了．

A：회의가 끝나면, 전화해 주세요.

B：알겠습니다.

10

A：The food we ate at the restaurant we went to last night was delicious wasn't it?

B：Yeah, especially the dessert.

A：我们昨天去的那家餐厅，很好吃哦．

B：对啊，特别是饭后的甜点．

A：어제 갔던 레스토랑, 맛있었지.

B：응, 특히 디저트가 말야.

1　A　：　どこ行こうか？

C　B　：　ボーリングに行きたいなー。

2　A　：　今夜飲みに行かない？

C　B　：　今夜か〜、ちょっときびしい💡7かも。

3　A　：　最近、暑くなってきたね。

C　B　：　もうじき夏が来るね。

4　A　：　ピーナッツ食べられる？

C　B　：　うん、大丈夫だよ。

5　A　：　すみません、もう少しゆっくり話してください。

　　B　：　あ、はい、わかりました。

6　A　：　今週中にこの資料作らなくちゃ。

C　B　：　がんばって！

7　A　：　ケーキ作ったことありますか？

　　B　：　はい、クリスマスはいつも自分で作るんですよ。

8　A　：　水曜日にパーティーをしようと思っています。来てくださいね。

　　B　：　はい！　他にはだれが行きますか？

9　A　：　早く行こう！

C　B　：　ちょっと待って！

10　A　：　かっこいい、その携帯！

C　B　：　ありがとう。昨日買ったばっかりなんだ。

1
A : Where shall we go?

B : I'd like to go bowling.

A：去哪儿呀？

B：我想去打保龄球．

A：어디 갈까？

B：볼링치러 가고 싶은데 -.

2
A : Would you like to go out drinking tonight?

B : Tonight? That might be a bit difficult.

A：今天晚上我们去喝酒吧？

B：今天晚上？ 可能不行．

A：오늘밤 마시러 안갈래？

B：오늘밤？ 좀 어려울지도．

3
A : It's been getting hotter recently hasn't it?

B : Yes, summer is just around the corner.

A：最近，越来越热了哦．

B：夏天就快到了．

A：최근, 더워졌네．

B：이제 곧 여름이 올거야．

4
A : Can you eat peanuts?

B : Yes, not a problem.

A：你能吃花生吗？

B：嗯，没问题．

A：피너츠, 먹을 수 있어？

B：응, 괜찮아．

5
A : I'm sorry, could you speak a bit more slowly please?

B : Ah, of course.

A：不好意思，请您说得慢一点儿．

B：好的，我知道了．

A：죄송합니다, 조금만 더 천천히 말씀해주세요．

B：아, 네, 알겠습니다．

6
A : I have to prepare these documents this week.

B : Keep at it!

A：这周之内，我必须把这些资料做完．

B：加油啊．

A：이번주 내로 이 자료 만들어야해.

B：힘내！

7
A : Have you ever made a cake before?

B : Yes, I always make one at Christmas.

A：你做过蛋糕吗？

B：做过，过圣诞节的时候我总是自己做蛋糕的．

A：케이크 만든적 있나요？

B：네, 크리스마스에는 항상 직접 만드는걸요．

8
A : I'm thinking about having a party on Wednesday. Please come along.

B : Sure! Who else is coming?

A：我想在星期三举办一个聚会，你到时候一定来参加呀．

B：好，还有谁来？

A：수요일에 파티하려고 해요. 오세요．

B：네！저 말고는 누가 오나요？

9
A : Come on, lets go!

B : Wait a minute!

A：快点儿走吧！

B：等一下．

A：빨리 가자！

B：좀 기다려！

10
A : That's a cool mobile phone.

B : Thanks, I just bought it yesterday.

A：你的手机真酷

B：谢谢，我昨天刚买的．

A：멋진데, 그 휴대폰．

B：고마워. 어제 막 산거야．

1 A：大人はいいよね。

C B：え？　どうして？

A：嫌いなものを食べなくていいから。

B：あ〜、そうだね。自由だよね。

2 A：先生、「安い」と「野菜」は似ていますね。

B：ええ、そうですね。

A：何かいい覚え方がありますか？

B：そうですね〜。「やすい」はスーパーのス、「やさい」はサラダのサ、どうですか？

3 A：あ、しまった！

C B：ん？　どうしたの？

A：昨日した宿題、うちに忘れてきちゃった。

4 A：来週の土曜日、バーベキューするけど、山田さんも来ない？

C B：あ〜、土曜日か〜。土曜日はちょっと…。

A：あ、そう。残念ね。

B：うーん、だれが来るの？

A：リンダさんとかホルへさんとか…。

B：へー、いいな〜。行きたいんだけどね…。

5 A：これ作ったんだ。ちょっと食べてみて！

C B：え、パンを自分で？　すごいね。じゃ、一口。

A：どう？

B：う〜ん。おいしいかな、まあまあ。

A：あ、そう…。

1
A : It's great being an adult isn't it.
B : Why's that?
A : You don't have to eat things you don't like.
B : Ahh, I see. You have more freedom, don't you?

A : 大人真好.
B : 哎↗为什么?
A : 不喜欢吃的东西, 就可以不吃.
B : 啊, 说的也是, 很自由的.

A : 어른은 좋겠네요.
B : 응? 왜?
A : 싫어하는 거 안 먹어도 되니까.
B : 아~, 그렇네. 자유구나.

2
A : Sensei, "yasui"(cheap) and "yasai"(vegetable) sound similar don't they?
B : Ah yes, they do don't they?
A : Do you know a good way of remembering the difference?
B : Well, "yasui" contains "su" from supermarket. "yasai" contains "sa" from salad. How about that?

A : 老师,YASUI(便宜) 和 YASAI (蔬菜) 的发音很像啊.
B : 嗯, 是啊.
A : 有什么好的方法能够记住它们吗?
B : 有, やすい (ya-su-i)」的「す (su)」是「スーパー (su-u-pa-a)」的「ス (su)」,「やさい (ya-sa-i)」的「さ (sa)」是「サラダ (sa-ra-da)」的「サ (sa)」, 这样记怎么样?

A : 선생님 ,〔 싸다 〕와 〔 야채 〕는 비슷하네요.
B : 예. 그렇네요.
A : 뭔가 외우기 좋은 방법 있을까요?
B : 글쎄요~.〔 야스이 〕는 수퍼의 수.〔 야사이 〕는 사라다의 사, 어때요?

3
A : Oh no!
B : What's the matter?
A : The homework I did yesterday. I left it at home.

A : 啊, 糟了.
B : 嗯, 怎么了?
A : 我把昨天做的作业忘在家里了.

A : 아. 아뿔싸.
B : 응? 왜 무슨일이야?
A : 어제 했던 숙제, 집에 두고 와버렸어.

4
A : I'm having a barbeque on Saturday next week. Would you like to come Yamada-san?
B : Ah, on Saturday? Saturday's a little bit...
A : Really? That's a shame.
B : Who's going?
A : Linda-san, Horuhe-san...
B : Oh that sounds great. I wish I could go.

A : 下周六, 我们要去烧烤, 山田你也来吗?
B : 哎↗星期六?星期六不行?
A : 喔, 是吗!真遗憾.
B : 嗯...都谁去呢?
A : 琳达和忽乐还有...
B : 唉...真好, 我也想去.

A : 다음주 토요일, 바베큐하는데, 야마다도 오지 않을래?
B : 아~, 토요일? 토요일은 좀….
A : 아, 그래. 유감이네.
B : 으-응. 누가 오는데?
A : 린다상이나, 호루헤상이나….
B : 와-. 좋겠다~. 가고 싶지만 말이야….

5
A : I made this, would you like to try a little bit?
B : Wow, you made bread by yourself? OK, I'll have a bite.
B : How is it?
A : Umm, not sure. It's OK I guess.
B : Ah, I see...

A : 我做了这个, 你尝尝看.
B : 哎, 这是你自己做的面包, 真厉害, 那我尝一口.
A : 怎么样?
B : 嗯, 好吃吗?一般吧.
A : 喔, 是吗?

A : 이거 만들었어. 좀 먹어봐!
B : 어, 빵을 자기가 직접? 대단해. 그럼, 한 입.
A : 어때?
B : 으-음. 맛있나, 뭐, 뭐.
A : 아, 그래….

解 説 ◆ explanation 解说 해설

① コンビニ

コンビニエンスストアの略です。

This is an abbreviation for convenience store.

便利商店的简称.

콤비니언스스토어의 줄임말.

② ゴロゴロ

転がる様子を表わした擬態語です。特に何もする
ことがないという意味です。

This is derived from the word 転がる meaning to roll.
It refers to a state of not doing anything in particular.

是形容滚动的样子的拟态词.还表示很闲,无所事
事的样子.

뒹구는 모습의 의태어. 특별히 할일이 없는 상태.

③ 生のもの

例えば刺身など、火を通してない食べ物のことで
す。

For example sashimi etc. Food that hasn't been
cooked in any way.

比方说像寿司之类的,不用经过加热的食品.

예를 들어 생선회와 같은, 열을 가하지 않은 음식.

④ 山手線で一本

山手線以外に乗り換えなくても行けるという意味
です。

This means that you can get to your destination
by taking the Yamanote line only.

除了乘坐山手线之外,不用换乘其它车也可到达目
的地的意思.

야마노테선 외에 다른 선으로 환승하지 않고도 갈 수 있
다는 의미.

⑤ ほら

相手に見てほしいときや気づいてほしい時に、注
意を促す表現です。

An expression you use when you want to get
someone's attention to look at, or notice some-
thing.

想让对方看某些东西时或者想要引起对方注意时,
也就是说促使对方注意时使用的表达方式.

상대에게 봐주길 바랄 때나 알아차려주길 바랄 때, 주
의를 촉구하는 표현입니다.

⑥ 明日は雪だね

思いがけない効果を上げた人をからかっていう表
現です。嫌味のニュアンスが含まれることもあり
ます。

An expression used to make fun of someone
because of the unlikeliness of the situation. It can
also contain a sarcastic nuance.

这是用来说那些做到了一般不可能做到的事情的
人的玩笑话.有时包含有挖苦人的语气在其中.

생각지도 않은 성과를 낸 사람을 놀리며 말하는 표현입
니다. 비꼬는 뉘앙스가 포함된 경우도 있습니다.

⑦ きびしい

ここでは断りの意味を表わします。他に「むずか
しい」などもよく使われます。

In this case this word indicates refusal. Other
words such as むずかしい are often used to carry
the same meaning.

在这儿是表示拒绝的意思.其它还有,比方说「む
ずかしい」(难)等等,也可以用在这儿表示相同的
意思.

여기서는 거절의 표현을 나타냅니다. 이 외에「무즈카
시이 ; 어렵다」같은 표현도 자주 사용됩니다.

Unit

3

ここでは、より自然な会話にチャレンジしてみましょう。気の
利いた受け答えがたくさんあります。

Here, let's challenge ourselves with some more natural conversations. There are
lots of witty responses in this unit.

在这儿，来挑战一下更加自然的会话吧。有很多很实用的对答哟。

여기에서는 더욱 자연스러운 회화에 도전해 봅시다 . 멋있는 대답들이 많이 있습니다 .

Level ★★★☆☆

自 / 他動詞　受身形　使役形	・〜ておく
Transitive verb/Intransitive verb, Passive form, Causative form	・〜することになりました
自 / 他动词　被动形　使役形	・〜らしいです
자 / 타동사　수동형　사역형	etc.

1 A：ジョンさんの部屋は家賃いくらですか？

B：月5万円です。

2 A：ホテル予約してある？

C B：うん。昨日しといたよ🔦¹。

3 A：あ、見て！ 昨日の台風で木が倒れてる！

C B：本当だ。すごい風だったんだね。

4 A：リンさん、宿題は？

D B：あ、先生、今母が来ているので来週出してもいいですか？

5 A：あれ？ 今日、お弁当？ 自分で作ったの？

D B：いや、彼女に作ってもらいました。

6 A：山田さん、そのくつ大きくないですか？

D B：ううん、ぴったり🔦²。

7 A：あれ？ ドアが開いていますね。

B：本当だ。だれが開けたんでしょうね。

8 A：ね、聞いた？ 田中さん、宝くじで100万円当たったそうだよ。

C B：へー、おごってもらおう。

9 A：ごめん、待った？

C B：ううん、僕🔦³も今来たところ。

10 A：おいしそう！

C B：本当だ。あ、試食があるから食べてみよう。

1
A : How much is the rent for Jon-san's apartment?
B : It's 50,000 yen a month.

A：纯先生家的房租是多少钱？
B：一个月 5 万日元．

A：존상의 방은 집세 얼마에요？
B：월 5 만엔이에요．

2
A : Has the hotel been booked?
B : Yeah, I did it yesterday.

A：宾馆已经预约好了吗？
B：嗯，昨天就订好了．

A：호텔예약 해뒀어？
B：응．어제 해 뒀어．

3
A : Look! The tree has fallen over because of yesterday's typhoon.
B : So it has. Incredible winds, weren't they?

A：啊，快看，昨天刮台风把树都刮倒了．
B：真的，昨天的台风是刮的蛮大的．

A：아，봐봐！어제 태풍으로 나무가 쓰러져있어！
B：정말이다．굉장한 바람이었구나．

4
A : Rin-san, do you have your home-work?
B : Ah, sensei, my mother is here at the moment so would it be OK if I handed it in next week?

A：小林，你的作业呢？
B：嗯，老师，现在我妈妈来我这儿了，作业可不可以下周再交呢？

A：린상，숙제는？
B：아，선생님，지금 어머니가 와 계셔서 다음 주에 내도 괜찮을까요？

5
A : What's this? A lunch-box for today, eh? Did you make it yourself?
B : No, my girlfriend made it for me.

A：唉↗今天带盒饭了？是你自己做的吗？
B：不是，是我女朋友做的．

A：어？오늘，도시락？직접 만든거야？
B：아니，여자친구가 만들어 줬어．

6
A : Yamada-san, aren't those shoes a bit big for you?
B : Nope, they're just right.

A：山田先生，你的那双鞋不大吗？
B：不大，刚好．

A：야마다상，그 구두 크지 않아요？
B：아니요，딱 맞아요．

7
A : What's this? The door's open.
B : So it is. I wonder who opened it.

A：哎↗门怎么开着呢？
B：真的，谁把门打开了吧？

A：어라？문이 열려있네요．
B：진짜다．누가 열었을까요．

8
A : Here, have you heard? Tanaka-san won 1,000,000 yen in the lottery?
B : You're kidding. Let's get him to treat us to something.

A：喂，你听说了吗？田中，他中奖中了 100 万日元呢．
B：哎↗让他请客．

A：저기，들었어？다나카상，복권에 100 만엔 당첨됐대．
B：와 - 얻어먹자．

9
A : Sorry, were you waiting?
B : No I just arrived.

A：不好意思，让你久等了．
B：没有，我也是刚到．

A：미안，기다렸어？
B：아니，나도 방금 왔던 참이야．

10
A : That looks delicious!
B : So it does. There's a sample there, let's try it.

A：看起来真香！
B：是啊．唉，可以品尝的，我们尝尝看吧．

A：맛있겠다！
B：정말，아，시식이 있으니까 먹어 보자．

1 A：袋にお入れしましょうか？
D B：いえ、そのままで。

2 A：来週、京都から友だちがくるんだ。
C B：そうなんだ。楽しみだね。

3 A：お姉ちゃん、今日何時に帰ってくる？
C B：う〜ん。8時ごろになるかな。

4 A：あれ？　電気がついていますね。
B：本当だ。だれがつけたんでしょうね。

5 A：先生、3級合格しました。
D B：えっ！　すごい。おめでとう。

6 A：あれ？　ご飯食べないの？
C B：うん、ダイエット中でね。野菜しか食べないようにしてるんだ。

7 A：明日、うかがってもよろしいですか？
F B：はい、かまいませんよ。

8 A：昨日、東京駅で事件があったらしいですね。
B：そうらしいですね。

9 A：明日までにレポート、書いてくださいね。
B：はい、大丈夫です。もう90％書いてあります。

10 A：これ何？　シャドーイング？　これなんのためにしてるの？
C B：うん、すらすら話せるようになるんだって。

1
A : Would you like me to put it in a bag?
B : No thank you, it's fine like that.

A：给您装袋吗？
B：不用了，就这样吧．

A：봉투에 넣어드릴까요？
B：아뇨，그대로．

2
A : A friend of mine is coming from Kyoto next week.
B : Really? That should be fun.

A：下星期，我的朋友要从京都来．
B：是吗！那一定很期待喽．

A：다음주，교토에서 친구가 와．
B：그렇구나．기대되겠네．

3
A : Hey sis, what time are you coming home today?
B : Um, maybe about eight o'clock.

A：姐姐，你今天几点回来？
B：嗯...8 点左右吧．

A：언니，오늘 몇시에 들어와？
B：음～．8 시정도 될까나．

4
A : What's this? It's switched on.
B : So it is. I wonder who switched it on.

A：哎↗灯怎么开着呢．
B：是啊，谁把灯打开了吧．

A：어？불이 켜져있어요．
B：진짜네．누가 켰을까요．

5
A : Sensei, I passed level 3.
B : Really? Congratulations!

A：老师，我 3 级通过了．
B：咦，真厉害．恭喜你．

A：선생님，3 급 합격했습니다．
B：엣！대단해．축하해요．

6
A : Aren't you eating the food?
B : Yeah, I'm on a diet. I'm only eating vegetables.

A：哎↗你怎么不吃饭呀？
B：嗯...我在减肥呢．现在只吃菜不吃饭．

A：어？밥 안먹어？
B：응，다이어트중이라서．야채만 먹기로 하고 있거든．

7
A : Would it be all right if I visited tomorrow?
B : Certainly, that's not a problem.

A：明天，我可以打扰您一下吗？
B：可以，没问题．

A：내일，찾아뵈도 괜찮을까요？
B：네，괜찮습니다．

8
A : It appears that there was an incident at Tokyo station yesterday.
B : Yes it seems so.

A：听说昨天在东京车站发生什么事了．
B：好像是的．

A：어제，동경역에서 사고가 있었다고 하네요．
B：그렇다네요．

9
A : Please write the report by tomorrow.
B : Yes, it's not a problem. 90% of it is already written.

A：论文是到明天为止，请一定要写完呀．
B：好，没问题，我已经把 90％ 都写好了．

A：내일까지 레포트，써주세요．
B：네，괜찮습니다．벌써 90% 써뒀습니다．

10
A : What's this? Shadowing? What's it for?
B : They say that it's intended to help you speak smoothly.

A：你这是在干什么？在做翻译的影子练习？这是干什么用的？
B：嗯，听说这种练习能让说话变得很流畅．

A：이거 뭐야？샤도잉 (shadowing)？이거 뭐 때문에 하는거야？
B：응，술술 말할 수 있도록 되기 위해서래．

1　A：ね、そのクッキー、一口ちょうだい💡5。
C　B：あー、もう全部食べちゃった。ごめんごめん。

2　A：あ、雨が降ってる。
C　B：あ、じゃ、このかさ貸してあげる。2本あるから。

3　A：お茶、どうぞ。熱いのでお気をつけください。
F　B：あ、すみません。

4　A：もしもし、山田さん？　今、話して大丈夫？
C　B：あ、ごめん。今シャワー浴びていたところなんだ。後で電話して
　　　いい？

5　A：ねー、聞いた？　山田さん、結婚するんだって。
C　B：うん、おめでた💡6らしいよ。

6　A：あれ？　ビデオデッキに変なビデオが入っていますね。
　　B：本当だ。だれが入れたんでしょうね。

7　A：ねー、もっときれいに書いてください。これなんて書いてあるんで
　　　すか？
　　B：あー、なんでしょう…。私も読めません…。

8　A：ねー、飛行機の予約してある？
D　B：あ、ごめんなさい。今、しておきます。

9　A：約束したのにどうして来てくれなかったの？
C　B：ごめん。本当にごめん。どうしても会議ぬけられなかったんだ。

10　A：今度、ご飯でも💡7いかがですか？
F　B：あ、ぜひ。

1 A : Here, give us a bit of that cookie.

B : Ah, I've already eaten it all. Sorry!

A：喂，给我吃一口你的点心吧．

B：啊，不好意思，我已经全都吃了．

A：저기，그 쿠키 한 입만 줘봐．

B：아-，벌써 전부 다 먹어버렸어． 미안，미안．

2 A : Ah, it's raining.

B : OK, I'll lend you this umbrella. I've got two anyway.

A：啊，下雨了．

B：是啊，那这把伞借给你用吧．我有两把呢．

A：아，비 내린다．

B：아，그럼，이 우산 빌려줄게．두 개 있으니까．

3 A : Here is your tea.It's hot so please be careful.

B : Thank you very much.

A：请喝茶，很烫的，小心点哦．

B：哦，谢谢．

A：차，드세요．뜨거우니까 조심하시구요．

B：아，실례하겠습니다．(잘 먹겠습니다．)

4 A : Hello, Yamada-san? Is it all right to talk right now?

B : Sorry, I'm now in the shower. Can I call you afterwards?

A：喂，山田，现在讲话方便吗？

B：啊，不好意思．我现在正在洗澡．我呆会儿再打电话给你好不好？

A：여보세요，야마다상？지금，통화해도 괜찮아？

B：아，미안．지금 샤워하고 있는 중이야．나중에 전화해도 괜찮아？

5 A : Did you hear? Yamada-san is getting married.

B : Yeah, I hear that a baby is on the way.

A：喂，你听说了吗？山田先生要结婚了．

B：嗯，听说他是要办喜事了．

A：저기 -．들었어？야마다상，결혼한대．

B：응．경사 (임신) 난 것 같더라구．

6 A : What's this? There's a strange video in the VCR.

B : So there is. I wonder who put it there.

A：哎？录像机里有一盘很奇怪的录像带．

B：真的，是谁放进去的呢？

A：어라？비디오 데크에 이상한 비디오가 들어있네요．

B：정말，누가 넣었을까요．

7 A : Please write more neatly. What have you written here?

B : Ahh..., I wonder what I wrote. I can't read it either.

A：喂，请你把字写得好一点．这写的是什么呀？

B：啊，什么呀，我也看不懂．

A：저기요 -．좀 더 깔끔하게 써 주세요．이거 뭐라고 쓴 거예요？

B：아 - 뭘까요….저도 못 읽겠네요．

8 A : Has the flight been booked?

B : Sorry, I'll do it now.

A：喂，你订飞机票了吗？

B：啊，不好意思，我现在马上就订．

A：있잖아 -．비행기 예약 했어？

B：아，미안해요．지금 하겠습니다．

9 A : You promised to meet me, how come you didn't turn up?

B : I'm really sorry. I had a meeting that I couldn't get out of.

A：我们都说好了，你为什么没来？

B：对不起，真的很抱歉．我那个时候在开会，怎么也走不开．

A：약속해 놓고선 왜 오지 않았어？

B：미안．정말로 미안해．어떻게 해도 회의에 빠질 수 없었어．

10 A : Would you like to go for a meal next time?

B : Yes, that would be great.

A：下次，我们一起去吃饭吧，您意下如何？

B：哦，一定一定．

A：언제，같이 식사라도 어떠세요？

B：아，꼭이요．

1
A：健康のために何かしてる？
D
B：はい。飲みすぎないようにしています。

2
A：日本に来る時、緊張しましたか？
B：ええ、初めて外国で1人暮らしですから。

3
A：メールが送れないんだけど、だれかわかる人いない？
C
B：よくわかんないんだよね。山田さんがいればわかるけど。

4
A：昨日、帰ったら家族から手紙が来ていたんだ。お金送ってくれるって。
C
B：へー、よかったね。

5
A：田中さん、明日までに書類作っておいてくださいね。
B：はい。わかりました。

6
A：ねー、聞いて。昨日の店、ビールと焼き鳥で4000円もしたんだ。
C
B：え、高い！ それってぼったくり🐾8じゃない？

7
A：あれ？ この本何？ おもしろそう。見せて。
C
B：うん、すっごくおもしろいよ。

8
A：あ〜あ、ダイエットしてるのに、また食べちゃった。
C
B：ダイエットやめたら？

9
A：辞書を探しているんだけど、何かおすすめ知ってる？
C
B：辞書のことなら、パクさんに聞いたら？ この前新しいの買ってたよ。

10
A：ちょっと会わないうちにずいぶん日本語が上手になったね。
C
B：またまた〜🐾9。

1 A : Are you doing anything to stay healthy?
　　B : Yes, I'm making sure not to drink too much.

A：为了保护身体健康，你都做些什么样的努力？
B：我尽量不让自己喝太多的(酒)

A：건강을 위해서 뭔가 하고 있어？
B：네．과음하지 않으려고 합니다．

2 A : Were you nervous when you came to Japan?
　　B : Yes, it's the first time that I've lived abroad.

A：你刚来日本的时候紧张了吗？
B：嗯，毕竟是第一次一个人在外国生活嘛．

A：일본에 올 때, 긴장했습니까？
B：네, 처음으로 외국에서 혼자 생활하는거라서요．

3 A : I can't send this mail, is there anyone about who understands these things?
　　B : Yeah, I haven't got a clue either. If Yamada-san were here he'd understand.

A：有谁知道这电子邮件为什么发不出去？
B：我也不知道，要是山田在的话他应该知道．

A：메일이 보내지질않는데, 누가 아는 사람 없어？
B：잘 모르겠는데．야마다상이 있으면 알겠지만．

4 A : When I got home yesterday, a letter had come from my family. They said they are going to send some money.
　　B : Really? That's good, isn't it?

A：昨天我一回家就收到了家里来的信，他们说要给我寄钱来．
B：唉...真好．

A：어제, 집에 가니까 가족한테서 편지가 왔더라．돈 부쳐준대．
B：에-, 잘됐다．

5 A : Tanaka-san, please prepare those documents by tomorrow.
　　B : Yes, I understand.

A：田中先生，请到明天为止把这份资料做完．
B：好，我知道了．

A：다나카상, 내일까지 서류 만들어 뒤요．
B：네．알겠습니다．

6 A : Here, listen to this. For that place we were at yesterday, beer and yakitori was 4000 yen!
　　B : What! That's a bit of a rip off isn't it?

A：喂，你听我说，昨天我去的那家店光啤酒和烤鸡肉就花了4000日元．
B：哎↗太贵了．他这不是宰人嘛？

A：있지, 들어봐．어제 가게, 맥주랑 닭꼬치가 4000엔이나 했어．
B：엣, 비싸다！그거 바가지아냐？

7 A : What's this book you're reading? Lets have a look.
　　B : Yeah, it's really interesting.

A：哎↗这是什么书？看起来挺有意思的，借我看看吧．
B：嗯，很有意思的．

A：어？이 책 뭐야？재밌겠다．보여줘．
B：응，엄청 재밌어．

8 A : I'm supposed to be on a diet but I just ate something I shouldn't have again.
　　B : Why don't you give up the diet?

A：啊↘我还在减肥呢，又吃了这么多．
B：别减肥了吧．

A：아~, 다이어트하고 있는데, 또 먹어버렸어．
B：다이어트 그만두는게 어때？

9 A : I'm looking for a dictionary. Do you have any recommendations?
　　B : If you're looking for a dictionary, why don't you ask Pak-san? He bought a new one the other day.

A：我想买本词典，你有没有什么好的建议？
B：想买词典的话，问问小朴吧．前几天他刚买了一本新的．

A：사전을 찾고 있는데, 뭔가 추천 할만한거 알고 있어？
B：사전에 관해서라면, 박상한테 물어보는게 어때？얼마전에 새거 샀거든．

10 A : I haven't seen you in a while and you're Japanese has really improved.
　　B : I've still got a long way to go.

A：我们才几天没见面，你的日语进步得多了嘛．
B：哪里哪里~．

A：조금 안 본 사이 꽤 일본어가 늘었네．
B：또 그런다．

1 A : そのセーターいい色だね。

C B : あー、どうもありがとう。でもチクチク🌡10するんだ。

2 A : 携帯でメール書いてるの?

C B : ううん、漢字を調べてるの。

3 A : あれ? 髪の毛、ずいぶん短く切っちゃったんだね。長くてきれい

C だったのに。

B : そう? でも短いとすごく楽。

4 A : ねー、今日、バイト初めての日なんだけど、早めに行った方がいい

C と思う?

B : うん、できればね。

5 A : もしよろしければ、こちらのパンフレットもお読みください。

B : はい、どうも。

6 A : 田中さん、昨日、渋谷で男の人と一緒に歩いていたね。

C B : わー、はずかしい。変なとこ見られちゃった。

7 A : 韓国料理を食べるなら、ぜったい新大久保だよね。

C B : そうそう。新大久保って韓国みたいだもんね。本場の味だよ!

8 A : ハクション!

C B : あれ? 大丈夫? かぜ?

A : ううん。何でもないよ。ハクション!

9 A : 今晩、何食べたい?

C B : う〜ん。カレーは?

10 A : これはどこのワインですか?

D B : こちらはフランス産でございます。

1
A : That sweater is a nice color.

B : Ah, thank you. But actually it itches.

A：那件毛衣的颜色真漂亮啊．

B：啊，谢谢．就是有点儿扎．

A：그 스웨터 색깔 예쁘네．

B：아-，고마워．근데 까슬까슬해．

2
A : Are you writing a message on your mobile phone?

B : Nope, I'm looking up a kanji.

A：你在(用手机)发短信(电子邮件)吗？

B：不是，我在查汉字呢．

A：핸드폰으로 메일 쓰고 있어？

B：아니，한자 찾아보고 있어．

3
A : Huh? You really cut your hair pretty short, didn't you? And it was so pretty when it was long.

B : Really? But when it's short it's really comfortable.

A：哎？你怎么把头发剪得这么短，你长头发挺好看的．

B：是吗？可是短头发很方便呀．

A：어라？머리카락，꽤 짧게 잘라버렸구나．길어서 예뻤었는데．

B：그래？그치만 짧으면 엄청 편해．

4
A : Hey, today is my first day on a new part-time job. Do you think it's better if I go early?

B : Yes, you should if you can.

A：喂，你今天第一天打工，我觉得你还是早点去比较好．

B：嗯，我尽量吧．

A：있지-，오늘，아르바이트 첫 날인데，빨리 가는 편이 좋을 것 같아？

B：응．가능하면 말야．

5
A : If you would like to, please read this pamphlet.

B : Thank you.

A：如果方便的话，您可以看一下这边的小册子．

B：好，谢谢．

A：만약에 괜찮으시다면，여기 팜플렛도 읽어보세요．

B：예，고마워요．

6
A : You were walking together with a guy in Shibuya yesterday, weren't you Tanaka-san?

B : Ah, now I'm embarrassed. Being seen in such an awkward situation.

A：田中，我昨天看见你在涩谷和一个男孩子走在一起．

B：哇，真是不好意思，被你发现了．

A：다나카상，어제，시부야에서 어떤 남자랑 같이 걷고 있었죠？

B：와-부끄러워라．들켜버렸다．

7
A : If you're going to eat Korean food then Shin-Okubo is the place to go.

B : You said it. Shin-Okubo is just like South-Korea so you get the genuine taste!

A：想要吃韩国料理的话，那一定得去新大久保．

B：对，对．新大久保就像韩国一样，味道很正宗的．

A：한국요리라고 하면，절대 신오오쿠보야．

B：그래그래．신오오쿠보＝한국 같은 걸．본고장의 맛이라구！

8
A : Achoo!

B : Are you OK? Have you got a cold?

A : No, I'm fine. Achoo!

A：阿嚏！

B：你没事吧？感冒了？

A：没，没什么，阿嚏！

A：엣취！

B：어라？괜찮아？감기야？

A：아니，아무것도 아니야．엣취！

9
A : What do you want to eat tonight?

B : Hmm. How about curry?

A：今天晚上你想吃什么？

B：嗯...咖哩饭吧？

A：오늘밤，뭐 먹고 싶어？

B：으-응．카레는 어때？

10
A : Where does this wine come from?

B : This is a French wine.

A：这是哪儿产的红酒？

B：这是法国产的．

A：이건 어디 와인이에요？

B：이건 프랑스산입니다．

1

C

A：あ〜あ、あと半年で卒業。4月から社会人だよ。

B：本当。だから今のうちにやりたいことやっておかなくちゃね。

2

D

A：あのー、すみません。明日国に帰るので、バイト一週間休ませて
いただけませんか？

B：えっ、困るな。もっと早く言ってくれないと…。

3

C

A：洋服は燃えるゴミ。アルミホイルは燃えないゴミだよ。

B：あ〜、ゴミの分別🔑11は本当に複雑。

4

C

A：赤ワインは体にいいって言われてるから、たくさん飲んでも大丈夫！

B：そうかもしれないけど、飲みすぎはよくないんじゃない？

5

C

A：ずっと応援してるから、試合頑張ってね。

B：うん、ありがとう。精一杯頑張るよ。

6

C

A：明日の飲み会、行こうかな、やめようかな、どうしようかな。

B：もう、行くって言ってあるんでしょ？　じゃー、行かなきゃ。

7

A：土日は働けますか？

B：すみません。土曜日はちょっと…。でも日曜日なら大丈夫です。

8

C

A：グッチって何？

B：ブランドのこと、知ってそうで、いがいと知らないんだね。

9

C

A：後で食べようと思ってたケーキ、食べたのだれ？

B：あ、ごめん。わざとじゃないよ。

10

D

A：ご注文は？

B：じゃー、とりあえずビール🔑12。

1 A : Ah, only 6 months left before graduation. Starting from April, I'll be a working man.
B : Yeah, you're not wrong. That's why we have to do as much as we can before that.

A ：啊...还有半年我就要毕业了. 从4月份开始就要工作了.
B ：真的呀. 你可得趁现在把自己想干的事情都干了.

A ：아~, 반년 뒤엔 졸업. 4월부터 사회인이야.
B ：진짜네. 그러니까 지금 하고 싶은걸 해둬야해.

2 A : Excuse me. I'll be going back to my country tomorrow, so can I have a break from work for one week please?
B : Eh, that makes things difficult. If you'd told me earlier...

A ：对不起, 因为我明天要回国, 所以我想休息一个星期, 可以吗?
B ：哎↗不好办呐! 你也不早点说.

A ：저기, 죄송합니다. 내일 고향에 돌아가기 때문에, 아르바이트 일주일 쉴 수 없을까요?
B ：엇, 곤란한데. 좀 더 일찍 얘기해주지않으면…

3 A : Clothes are burnable garbage. Aluminum foil is non-burnable garbage.
B : Ah, separating rubbish is pretty complicated.

A ：衣服是可燃垃圾. 锡纸可是不可燃垃圾.
B ：啊~, 把垃圾分类真的是很复杂呀.

A ：양복은 타는 쓰레기. 알루미늄호일은 안타는 쓰레기야.
B ：아~, 쓰레기 분리는 정말 복잡해.

4 A : It's said that red wine is good for your health, so drinking a lot is no problem!
B : That may be true, but drinking too much is always a bad thing, isn't it?

A ：人们常说喝红酒对身体好, 所以喝再多也没关系.
B ：也许是吧, 可是喝多总不是一件好事吧?

A ：레드와인은 몸에 좋다고 하니까, 많이 마셔도 괜찮아!
B ：그럴지도 모르지만, 지나치게 마시는건 안좋은 거 아냐?

5 A : I'll be cheering for you the whole time, so do your best during the match, OK?
B : Yes, thanks. I'll put in my best effort.

A ：比赛加油啊, 我会一直支持你的.
B ：嗯, 谢谢. 我会拼命加油的.

A ：쭉 응원하고 있으니까, 시합 힘내.
B ：응, 고마워. 있는 힘껏 노력할게.

6 A : I wonder if I should go to tomorrow's drinking party or not.
B : You've already said you'd go, haven't you? In that case you really should go.

A ：明天的聚会, 我是去还是不去呢? 怎么办呢?
B ：你已经说好了你要去, 是吧? 那, 非去不可了.

A ：내일 술자리, 갈까 말까, 어떻할까나.
B ：벌써, 간다고 했죠? 그럼, 가지 않으면..

7 A : Can you work on Saturdays and Sundays?
B : Sorry but Saturday is a bit difficult. Sunday is no problem.

A ：星期六, 星期天你可以来上班吗?
B ：不好意思, 星期六可能不行, 不过星期天没问题.

A ：토. 일요일은 일할 수 있습니까?
B ：죄송합니다. 토일요일은 좀... 그래도 일요일이면 괜찮습니다.

8 A : What's "Gucci"?
B : It's surprising that you don't know, considering that you're someone who seems to know a lot about brand names.

A ：古奇是什么?
B ：你看起来好像挺了解名牌的样子, 没想到你还真不知道.

A ：구찌가 뭐야?
B ：브랜드 잘아는 것 같은데, 의외로 잘 모르는군.

9 A : Who ate the cake that I was saving for later?
B : Ah, I'm sorry. It wasn't on purpose.

A ：我想呆会儿再吃的那块蛋糕是谁吃了?
B ：啊, 不好意思, 我可不是故意的.

A ：이따 먹을려고 했던 케이크, 먹은사람 누구야?
B ：아, 미안. 일부러 그런건 아냐.

10 A : What would you like to order?
B : Well, first thing's first. Beer please.

A ：您要点儿什么?
B ：先给我来杯啤酒吧.

A ：주문은?
B ：자, 우선 맥주.

1 A : あ、ラジカセこわれた。
C B : こわれたんじゃなくて、こわしたんでしょ。

2 A : 来月、結婚することになりました。
　　B : それはよかったですね。おめでとうございます。

3 A : どうぞたくさん召し上がれ。
D B : それじゃ、遠慮なくいただきます。

4 A : どんなペンをお探しですか？
　　B : えーと、なるべく安いのがいいんですが…。

5 A : 見て、この時計、1000円だったんだ！
C B : うそ！　ロレックスじゃないんだ。本物みたいに見えたけど…。

6 A : もしもし、俺🔔13だけど、今何してるの？
C B : ん？　今テレビ見てたとこ。

7 A : ホワイトボード、消しましょうか？
　　B : 大丈夫。そのままにしておいて。後で消しますから…。

8 A : どうしたの？　勉強に集中できてないようだけど。
　　B : はい、気になることがあって…。

9 A : ごめん、ごめん。待った？
C B : もう、ひどいよ。一時間も待たせて。

10 A : ドライヤーなら、今これが一番のおすすめです！
　　B : そうですか。じゃ、買う前にちょっと試してみてもいいですか。

1

A : Ah, the cassette player is broken.

B : It's not that it's broken. You broke it, didn't you?

A：啊，我的收音机坏了．

B：它可不是自己坏的，是你把他弄坏的吧．

A：앗，카세트라디오 고장났다．

B：고장난 게 아니라，고장 낸거겠지．

2

A : I'm going to get married next month.

B : That's good news. Congratulations!

A：下个月我要结婚了．

B：那太好了，恭喜你了．

A：다음 달，결혼하기로 했습니다．

B：그거 잘 됐네요．축하드려요．

3

A : Go ahead, please eat as much as you want.

B : Well, in that case I won't hold back.

A：请多吃点儿．

B：那我就不客气了．

A：어서 많이 드세요．

B：그렇다면，사양 않고 잘 먹겠습니다．

4

A : What sort of pen are you looking for?

B : Well, as cheap as possible...

A：您在找什么样的笔？

B：嗯…尽量是便宜的比较好．

A：어떤 펜을 찾고 계세요？

B：으음，가능한 한 싼 게 좋은 데요．

5

A : Hey, look at this. This watch was only 1000 yen!

B : You're kidding! It looks exactly like a real Rolex...

A：你看，我这块表才 1000 日元．

B：骗人~！这不是劳力士呀！好像真的一样．

A：봐봐，이 시계，1000 엔이었다구！

B：거짓말！롤렉스가 아니네．진품처럼 보였었는데….

6

A : Hi, it's me. What're you up to?

B : Hmm, I'm watching TV at the moment.

A：喂，是我，你在干什么？

B：嗯╱我刚在看电视呢．

A：여보세요，난데，지금 뭐하고 있어？

B：응？지금 TV 보고 있는 중이야．

7

A : Shall I wipe the whiteboard?

B : It's OK, just leave it like that. I'll clean it afterwards...

A：把黑板擦了吧？

B：没事儿．先放着，呆会儿我来擦．

A：화이트 보드，지울까요？

B：괜찮아．그대로 놔둬요．나중에 지울 거니까요．

8

A : What's wrong? It looks like you can't concentrate on your studies.

B : Yes, I've got something on my mind...

A：怎么了？你好像不能集中注意力学习．

B：嗯…有件事儿…

A：어떻게 된 거야？공부에 집중 안 되는거 같은데．

B：예，신경 쓰이는 일이 있어서….

9

A : I'm sorry. Did you wait long?

B : You're terrible. You made me wait for an hour.

A：不好意思，等了很长时间了吗？

B：太过分了，你让我等了你一个小时．

A：미안，미안．기다렸어？

B：뭐야，심하잖아．1 시간이나 기다리게 하고．

10

A : If you're looking for a dryer then this would be my first recommendation.

B : I see. Well, before I buy it, is it OK if I try it out?

A：这个吹风机是目前最好的．

B：是吗．那我可以试一下吗？

A：드라이기라면，지금 이게 제일 추천하는 제품입니다！

B：그래요．그럼，사기 전에 좀 시험해 봐도 될까요？

1
C
A : 今晩、何食べたい？
　　こんばん　なに　た

B : う～ん。カレーは？

A : カレー？　マンネリ🔍¹⁴じゃない？

2
C
A : 山田さんっていつもタイミングがいいよね。
　　やまだ

B : うん、何かおいしいものを食べようとしたら、いつも来るよね。
　　　　なに　　　　　　　　た　　　　　　　　　　く

A : 本当。どこかで見てるのかなって思うくらい。
　　ほんとう　　　　　み　　　　　　　　おも

3
D
A : ねー、明日の準備してある？
　　　　あした　じゅんび

B : あ、ごめんなさい。今します。
　　　　　　　　　　　いま

A : うん、ちゃんとしといてね。

4
A : うん、風邪ですね。抗生物質を出しておきます。
　　　　かぜ　　　　　こうせいぶっしつ　だ

B : え、抗生物質というのは何でしょう？
　　　こうせいぶっしつ　　　　なん

A : えーとね。バクテリアを殺す薬です。
　　　　　　　　　　　　　ころ　くすり

5
F
A : すみません。

B : はい。

A : ちょっとお尋ねしたいのですが…。
　　　　　　たず

B : どうぞ。

6
C
A : ねー、なんだか僕、山田さんに嫌われてるみたいなんだ。
　　　　　　　ぼく　やまだ　　　きら

B : え、どうして？

A : 全然僕と話してくれないんだ。
　　ぜんぜんぼく　はな

1

A : What would you like to eat tonight?
B : Hmm, how about curry?
A : Curry? You're always eating curry, aren't you?

A : 今天晚上你想吃什么?
B : 嗯～.咖哩怎么样?
A : 咖哩?又是老一套?

A : 오늘밤, 뭐 먹고싶어?
B : 음～, 카레?
A : 카레? 지겹지 않아?

2

A : You'll have to agree that Yamada-san's timing is always impeccable.
B : You said it. Whenever you're about to eat something delicious he always shows up.
A : No kidding. To the extent that you think he must be watching from somewhere.

A : 山田先生的运气真好.
B : 是啊, 我们想吃什么好吃的了, 他总是在那个时候出现哦.
A : 就是, 我想他是不是在哪儿偷看呢呀.

A : 야마다상 언제나 타이밍이 좋아.
B : 응, 뭔가 맛있는걸 먹으려고 하면, 항상 오지.
A : 정말. 어디서 보고있나 싶을 정도야.

3

A : Hey, have you prepared for tomorrow?
B : Ah, sorry. I'll do it right away.
A : OK, make sure to take care of it.

A : 喂, 明天的准备已经做好了吗?
B : 啊, 不好意思.我现在就开始准备.
A : 嗯, 准备充分点儿哦.

A : 저기, 내일 준비 해뒀어?
B : 아, 죄송합니다. 지금 하겠습니다.
A : 음, 제대로 해둬.

4

A : Yep, a common cold. I'll prescribe some antibiotics.
B : Excuse me, but what are "antibiotics"?
A : Well... It's a medicine for killing bacteria.

A : 嗯, 你感冒了.我把消炎药要拿出来放在这儿了.
B : 哎, 消炎药是什么?
A : 嗯～消炎药就是能够杀死细菌的药.

A : 음, 감기네요. 항생제를 처방해두겠습니다.
B : 엣, 항생제라는건 뭐죠?
A : 음 그러니까. 박테리아를 죽이는 약입니다.

5

A : Excuse me.
B : Yes?
A : I would like to inquire about something...
B : Go ahead.

A : 不好意思.
B : 哦.
A : 我想向您请教一下...
B : 请吧.

A : 실례합니다.
B : 네.
A : 좀 여쭤볼 게 있는데요…
B : 네. 그래요.

6

A : Hey, for some reason it seems that Yamada-san hates me.
B : Hmm, why do you think that?
A : Well, for some reason she doesn't talk to me at all anymore.

A : 唉, 不知道为什么山田先生好像挺讨厌我的.
B : 哎, 为什么?
A : 他根本就不和我说话.

A : 저기, 왠지 나, 야마다상한테 미움받고 있는거 같아.
B : 엣, 왜?
A : 전혀 나랑 얘길 하질 않아.

解 説 ◆ explanation 解说 해설

① 昨日しといたよ

「しといた」は「しておいた」のカジュアルな言い方です。

しといた is the casual form of しておいた.

「しといた」(shi-to-i-ta) 是「しておいた」(shi-te-o-i-ta) 被省略的口语形式.

「しといた」는「しておいた」의 회화체 입니다.

② ぴったり

くつが足に完全に合っていて、ちょうどいいという意味です。

In this case it means that the shoes fit perfectly. It has the meaning of 'being just right'.

在这里是指鞋很适合自己的脚, 正合适的意思.

구두가 발에 완전히 맞아서, 딱 좋다는 의미 입니다.

③ 僕

男性の自称で、子どもから大人までややカジュアルな場面で広く一般的に使われています。

A word used by males to refer to themselves (translated as "I"). Commonly used by both children and adults in a semi-casual manner and in all kinds of situations.

男性的第一人称代词, 广泛用于大人以及孩子的一般场合.

남성이 자신을 가리킬때 사용하는 말로, 어린아이부터 성인에 이르기까지 덜 격식차린 장면에서 널리 일반적으로 사용되어지고 있습니다.

④ すらすら

途中で止まったり、間違えたりしないで上手に話す様子を表す擬態語です。

This means to speak without pausing or making mistakes. A mimetic word to express the concept of speaking fluently.

意思是在说话的中途不停也不出错, 很流利的样子的拟态词.

도중에 멈췄다 틀렸다 하지 않고 능숙하게 말하는 모습을 나타내는 의태어.

⑤ ちょうだい

「ください」のカジュアルな言い方です。

ちょうだい is the casual form of ください.

「ちょうだい」(cho-u-da-i) 是「ください」(ku-da-sa-i) 的口语形式.

보통「ください」를 사용하지만「ちょうだい」는 아주 친한 사이에 허물없이 사용하는 표현입니다.

⑥ おめでたらしいよ

「おめでた」は「おめでたいこと」を表します。ここでは「妊娠」のことです。

おめでた is the short form of おめでたいこと. Here, it means that she is pregnant.

「おめでた」(o-me-de-ta) 是「おめでたいこと」(o-me-de-ta-i-ko-to) 的口语形式. 在这里是指怀孕的意思.

「おめでた」는「축하하고 싶은 일」을 나타냅니다. 여기에서는「임신」라는 뜻입니다.

⑦ ご飯でも

「ご飯 (= お米)」そのものを指しているのではなく、「食事」全般を表します。食事に誘う時に使う表現です。

This is used to indicate all meals and not rice by itself. A expression used to invite someone to have a meal together.

「米饭」在这里不仅指米饭, 还表示吃饭的意思. 在邀请别人吃饭时使用的表达方式.

「밥 (= 쌀)」그 자체를 가리키는 것이 아니라,「식사」의 전반적인 형태를 나타내는 것입니다.

8 ぼったくり

法外なお金を要求するということです。

Costing an extremely large amount of money.

在这里是指不合理收费的意思.

불법적으로 돈을 요구하는 행위입니다.

9 またまた～

ほめられた時のカジュアルな答え方です。相手に対して「ほめすぎだ」という気持ちを表します。

A casual answer to use when someone offers praise. It's used to express the feeling that the listener is praising you too much.

在受到表扬时比较简单的回答方式. 对于被表扬的人来说有表扬的太过分的意思..

칭찬받았을 때의 가벼운 응답의 표현입니다. 상대에게 「과찬이다」라는 기분을 나타냅니다.

10 チクチク

セーターの毛糸が肌に刺さって痛む様子を表す擬態語です。

A mimetic word used to express the feeling of a knitted sweater irritatingly prickling the skin.

表现毛线扎皮肤的拟态词.

스웨터의 털실이 피부를 찔러서 아픈모양을 나타내는 의태어입니다.

11 ゴミの分別

ゴミを出す時に、ゴミの種類を分けることです。燃えるゴミと燃えないゴミ、リサイクル、粗大ゴミなど、出す曜日は地域ごとに決まっています。

This expression is used to describe the separation of different kinds of trash. The day of the week for putting out recyclable, large, burnable and non-burnable trash is decided in each area.

在扔垃圾时,要按种类分开.通常被分为可燃垃圾,不可燃垃圾,废物再利用品,以及大件垃圾等等.根据区域的不同,扔垃圾的时间也不同.

쓰레기를 버릴 때, 쓰레기의 종류를 나누는 것입니다. 타는 쓰레기와 타지 않는 쓰레기, 재활용, 대형쓰레기 등, 버리는 요일은 지역별로 정해저있습니다.

12 とりあえずビール

料理を注文する前に、まずはビールを注文しようという意味です。

This means ordering a beer first before ordering food.

在这里是指点菜之前,首先要先点啤酒的意思.

요리를 주문하기 전에, 먼저 맥주를 주문한다는 의미입니다.

13 俺

男性の自称で、友だちや親しい関係の人に対して使います。

A word used by males to refer to themselves (translated as "I"). Used amongst friends or people that you have a close relationship with.

男性的第一人称代词,用于朋友以及关系比较亲近的人之间.

남성이 자신을 가리킬때 사용하는 말로, 친구나 친한 사이인 사람에게 사용합니다.

14 マンネリ

マンネリズムの略で、ここでは新しさがないという意味です。

An abbreviation for 'mannerism'. Here it means that he's always doing the same thing.

「マンネリ」(ma-n-ne-ri) 是「マンネリズム」(ma-n-ne-ri-zu-mu) 的简略形式. 在这儿是指总是老一套没有新鲜感的意思.

매너리즘의 줄임말로 여기에서는 새로움이 없다는 의미입니다.

日本人は、話す相手によって話し方を変えます。初対面の人や目上の人に対しては敬意を表す丁寧な話し方を、家族や友だちに対しては身近な感覚でカジュアルな話し方をします。その話し方を間違えると、コミュニケーションが何となくギクシャクしてしまいます。たとえば、あいさつ。目上の人があなたに「おはよう」と言った時、あなたも同じように「おはよう」と言うと、相手に失礼になってしまいます。あなたは、「おはようございます」と丁寧な言い方をしたほうがいいのです。相手によって話し方を変えることを意識すると、日本語会話でのコミュニケーションが円滑になります。

Depending on who they speak to, Japanese people will change the way they speak. They will speak in a polite manner to seniors and people they meet for the first time and they will speak in a more casual manner towards friends and family. If you make a mistake with the manner you choose then communication will become somewhat awkward. Let's take greetings as an example. When someone senior to you says, "ohayou", and you respond with the same, "ohayou", you are being impolite. In this case, it's better to speak in a more polite matter and respond with "ohayougozaimasu". If you're able to change the way you speak depending on the particular person, you will be able to communicate more smoothly in Japanese.

日本人根据对方的不同说话方式也会改变。对于第一次见面的人以及长辈用敬语来说话,但是对于朋友以及家里人用比较亲近的省略语来说话。如果说话方式有错误的话,可能会对沟通有障碍。比方说,寒暄语。如果长辈对你说「早」的时候,你也和长辈一样说「早」的话,对于对方来说很不礼貌。这时你要用「您早上好」这样的敬语比较好。如果你能根据说话对方的不同而有意识地改变你的说话方式的话,那么你用日语的沟通和交流就会变得很熟悉。

일본인은 , 말하는 상대에 따라 화법을 달리합니다 . 초면의 사람이나 윗사람에 대해서는 경의를 표하는 정중한 화법을 , 가족이나 친구에 대해서는 친근한 느낌으로 덜 격식차린 화법을 씁니다 . 이러한 화법을 틀리게 되면 , 커뮤니케이션이 왠지 모르게 어색해져버립니다 . 예를 들면 , 인사입니다 . 윗사람이 당신에게 「안녕」이라고 했을 때 , 당신도 똑같이 「안녕」이라고 하면 , 상대에게 실례가 되어버립니다 . 당신은 「안녕하세요」라고 정중한 화법으로 말하는 것이 바람직합니다 . 상대에 따라 화법을 달리하는 것을 의식하여 말하게 되면 , 일본어 회화에서의 커뮤니케이션이 원활해지게 될것입니다 .

Unit

4

ここでは、自分の気持ちや様子を表す言い方にチャレンジしてみましょう。コミュニケーション能力が高まります。

Let's challenge ourselves by trying to express our feelings and physical state. Your communication ability will increase.

在这儿，来试着挑战一下说明自己的心情和周围状况的表达方式吧。沟通能力能够迅速地提高。

여기에서는 자기의 기분이나 모습을 나타내는 말에 도전해 봅시다 . 커뮤니케이션 능력이 높아집니다 .

Level ★★★★☆	
擬態語擬声語　慣用句	・わざわざ
onomatopoeias,　idiom	・間に合う
拟态词拟声词　惯用语	・口は災いの元
의태어의성어　관용구	・くりくり etc.

1　A：新しく始まるドラマ、おもしろそうだよ。
C　B：あー、あんまり興味ないな。

2　A：木村さんってどんな人？
C　B：うん、明るくて社交的な人だよ。

3　A：あー、今日は雨が降りそうだね。
C　B：うん、かさを持って行った方が良さそうだね。

4　A：すみませーん。宿題を忘れてしまいました〜。
　　B：そうですか！

5　A：あんなこと言うつもりじゃなかったのに…。
C　B：口は災いの元°¹だね。

6　A：日本の習慣について教えてください。
　　B：そうだね、日本では家に入る時、くつを脱ぐんですよ。

7　A：私、料理するのが好きなの。
C　B：へー、一度食べてみたいな。

8　A：どうすれば金持ちになれると思う？
C　B：やっぱ°²、宝くじかな。

9　A：日本にいる間に、できるだけ旅行しようと思っています。
　　B：あー、それはいいですね。

10　A：思ったよりスムーズにいったね。
C　B：本当だね。もっと時間がかかると思ったのに。

1
A : That drama that's about to start looks interesting.
B : Well, I'm not that interested really.

A：最近刚开始演的电视剧好像挺有意思的．
B：啊--，我不太感兴趣．

A : 새로 시작하는 드라마 , 재밌을 것 같더라구 .
B : 아-, 별로 흥미 없어 .

2
A : What's Kimura-san like?
B : He's a really cheerful and sociable guy.

A：木村先生是个什么样的人？
B：嗯，他是个性格开朗善于交际的人．

A : 기무라상은 어떤 사람이야 ?
B : 응 , 밝고 사교적인 사람이야 .

3
A : It looks like it's going to rain today, doesn't it?
B : Yeah, it looks like it would be a good idea to take an umbrella.

A：啊--，看来今天要下雨呀．
B：嗯，把伞带着好像比较好哦．

A : 아-, 오늘 비 올 것 같아 .
B : 응 , 우산 가지고 가는 게 좋을 것 같아 .

4
A : I'm sorry, I forgot my homework.
B : Is that so?!

A：对不起，我把作业忘了．
B：是吗！

A : 미안 ~ 해요 . 숙제를 잊어버렸어요-.
B : 그 . 렇 . 습 . 니 . 까 !

5
A : But I didn't mean to say that...
B : You have to be careful about what you say.

A：我没打算要那样说的--
B：真是祸从口出呀．

A : 그런 말 하려고 했던 거 아니었는데 ,
B : 말은 재앙의 원천이야 .

6
A : Can you tell me a little bit about Japanese customs and habits please?
B : Well, when you enter a house in Japan, you take off your shoes.

A：请您教教我日本的习惯吧．
B：是啊，进日本人家的时候，要脱鞋的哦．

A : 일본의 풍습에 관해 가르쳐 주세요 .
B : 글쎄요 , 일본에서는 집에 들어갈 때 , 구두를 벗고 들어가요 .

7
A : I like cooking you know.
B : Really? I'd like to try some of your cooking sometime.

A：我非常喜欢做饭．
B：哎--，好想尝一次你做的饭啊．

A : 나 , 요리하는 거 좋아해 .
B : 와 -. 한번 먹어보고 싶은데 .

8
A : What do you think is the best way to become rich?
B : Yeah well, there's always the lottery I guess.

A：你认为怎样才能成为有钱人？
B：还是买彩票吧．

A : 어떻게 하면 , 부자가 될까 ?
B : 역시 , 복권인가 .

9
A : While I'm in Japan, I'm thinking about traveling as much as I can.
B : Yeah, traveling's great isn't it?

A：我想趁呆在日本的这段时间，尽量的到处去旅行．
B：啊，那很好哇．

A : 일본에 있는 동안에 , 가능하면 여행하려고 생각하고 있어요 .
B : 아 - 그거 좋네요 .

10
A : That went a lot smoother than expected, didn't it?
B : Yeah it did. I thought it would take a lot longer.

A：比我们预想的要进行地顺利地多．
B：是啊，我还以为要花很多时间呢．

A : 생각했던 것보다 잘 되어가네 .
B : 정말이야 , 시간이 훨씬 더 걸린다고 생각했는데 .

1 A : すみません。ちょっと手伝ってもらえませんか?
　　B : ええ、いいですよ。

2 A : はさみとホチキスを借りてもいいですか?
　　B : はい、ちょっと待ってくださいね。

3 **C** A : 最近、何かはまってることある?
　　B : ヨガかな。あれはいいよ。

4 **C** A : わー、このパソコン、7万円だって。安いよね。
　　B : うん、絶対これ買いだよね。

5 **C** A : 明日、花火大会があんだって ◉³。
　　B : あ、そう。どこで?

6 **C** A : コンビニのお弁当で足りるの?
　　B : ぜんぜん。すぐおなか減っちゃう。

7 **C** A : このビスケット、百均 ◉⁴なんだよ。信じられる?
　　B : すごい、これ当たり。100円とは思えない!

8 **C** A : 飲み会、来週の土曜に変更になったの、知ってる?
　　B : え〜、そうなの〜? なーんだ、今週バイト断ったのに。

9 A : サイズはいかがですか?
　　B : ええ、ぴったりです。

10 **C** A : あそこの大学、倍率5倍なんだって。
　　B : まー、だめもと ◉⁵でチャレンジしたら?

1
A : Excuse me. Could you help me please?
B : Of course, how can I help?

A：不好意思．可以帮我一下吗？
B：嗯，没问题．

A：죄송합니다. 좀 도와주시겠어요？
B：네, 괜찮아요.

2
A : Can I borrow some scissors and a stapler please?
B : Sure, just wait a moment please.

A：借一下你的剪刀和订书机可以吗？
B：好，请等一下．

A：가위랑 스테플러 빌릴 수 있을까요？
B：네, 잠시만 기다리세요.

3
A : Is there anything that you've been really into recently?
B : Yeah, maybe yoga. It's really great.

A：最近有什么让你入迷的事吗？
B：瑜伽吧．很不错的．

A：최근에, 뭔가 열중하고 있는거 있어？
B：요가라나. 그거 괜찮아.

4
A : Wow, this computer's 70,000 yen. It's cheap isn't it?
B : Yeah, I'd definitely buy it.

A：哇--，这台才7万日元，真便宜．
B：嗯，应该买哦．

A：와-, 이 컴퓨터, 7만엔이래. 싸다.
B：응, 꼭 이거 사야겠어.

5
A : I heard there's a firework display tomorrow.
B : Really? Where's that?

A：听说明天有烟火大会．
B：啊，是吗．在哪儿？

A：내일, 불꽃놀이가 있대.
B：아, 그래. 어디서？

6
A : Is it enough if you buy a lunch-box from the convenience store?
B : Not at all. I'll be hungry again as soon as I've eaten it.

A：便利店的盒饭够吃吗？
B：一点也不够，肚子马上就又饿了．

A：편의점 도시락으로 충분해？
B：전혀. 바로 배가 꺼져버려.

7
A : I got this biscuit from the 100 yen shop. Can you believe it?
B : Wow, you did well there. I would never have thought it was only 100 yen.

A：这个饼干才100日元．你信吗？
B：真厉害．像中了奖票似的．这怎么也不止100日元吧！

A：이 비스켓, 모두 100엔이래. 믿어져？
B：굉장해. 이거 따이다. 100엔 같지 않은걸！

8
A : Did you hear that the drinking party has changed to Saturday next week?
B : What! Really? But I just cancelled my part time job this week.

A：聚会已经变成下周了，你知道了吗？
B：哎↗真的？什么嘛？这周我都请了假的．

A：회식, 다음주 토요일로 변경된거, 알고 있어？
B：에～, 그런거야？ 뭐야, 이번주 아르바이트 쉰다고 했는데.

9
A : How is the size?
B : It's just right, thank you.

A：大小怎么样？
B：嗯，正合适．

A：사이즈는 어떠세요？
B：네, 꼭 맞습니다.

10
A : They say that there's five applicants for every place at that University.
B : Well, even so you still should take a shot at it. You never know.

A：听说那所大学的入学率是其它大学的5倍呢．
B：唉--，反正也考不上就试一下，怎么样？

A：저기 대학, 경쟁률이 5대 1이래.
B：뭐-, 밑져야 본전이니까 도전해보는게 어때？

1
C

A：明子、拓也くんといい感じじゃない？
B：うん、でも友だち以上、恋人未満かな。

2
C

A：このセーターどうかな？　この色いいよね？
B：うん、その色似合うね。

3
C

A：あ〜あ、目が疲れた。
B：遠くを見たほうがいいよ。緑を見たり…。

4
C

A：なんだか、北村さん、最近怒りっぽくない？
B：うん、ストレス たまってんだよ 6。

5
C

A：あー、よく食べた。もう食べれない。
B：本当！　これで寝ちゃえたらいいのに。

6

A：あのー、10分くらい前にカレー注文したんですけど…。
B：あ、申し訳ありません。ただ今、見てまいります。

7

A：あのー、このカレー、髪の毛が入ってるんですけど…。
B：あ、すみません。新しいものとお取替えします。

8

A：あのー、昨日、こちらでこのかさ買ったんですけど、すぐにこわれ
ちゃったんですが…。
B：あ、すみません。では、新しいものと交換いたします。

9

A：あのー、返品はできませんか？
B：あ、では、少々お待ちください。店長を呼んできます。

10

A：お客様、では、お代をお返しいたします。
B：あ、おねがいします。

1
A： Akiko and you (Takuya-kun) are getting on well aren't you?
B： Yeah, I think we're more than friends but we're not quite a couple yet either.

A：明子和你 (拓也) 的感觉不错吧 ?
B：嗯 , 不过我们也只是比一般朋友的关系好 , 但还不是恋人 .

A：아키코 , 타쿠야랑 잘되고 있니 ?
B：응 , 그치만 친구 이상 , 연인 미만일까나 .

2
A： Hmm, what do you think about this sweater? It's a nice colour isn't it?
B： Yeah, that colour suits you.

A：这件毛衣怎么样 ? 颜色还不错哦 ?
B：嗯 , 那颜色很适合你啊 .

A：이 스웨터 어때 ? 이 색깔 괜찮지 ?
B：응 , 그 색깔 어울려 .

3
A： Ahh, my eyes are really tired.
B： You should look more into the distance. How about looking at the trees and fields?

A：啊 --, 眼睛都看累了 .
B：往远处看看比较好 . 或者看看绿色的东西 .

A：아 ~ , 눈이 피로해 .
B：먼 곳을 보는 게 좋아 . 초록색 (숲) 도 보고….

4
A： Recently Kitamura-san's been really snappy, hasn't he?
B： Yeah, he's been quite stressed.

A：怎么最近北村先生总生气呀 ?
B：嗯 , 他的压力太大了 .

A：왠지 , 키타무라상 , 최근에 화 잘 내지 않아 ?
B：응 , 스트레스 쌓인 거야 .

5
A： Whew, we've eaten quite a bit. I can't eat any more.
B： You're not kidding. I could fall asleep right here.

A：啊 , 吃饱了 . 再也吃不下了 .
B：是啊 ! 要是能这样睡过去就好了 .

A：아 -, 잘 먹었다 . 더 이상 못 먹겠어 .
B：정말 ! 이대로 잠자면 좋은데 .

6
A： Excuse me, I ordered curry ten minutes ago...
B： I do apologise. I'll go and see about it right away.

A：不好意思 , 我 10 分钟以前就点了一份咖喱饭…
B：啊 , 对不起 . 我现在就去给您看看 .

A：저기 -. 10 분 정도 전에 카레 주문했었는데요….
B：아 , 정말 죄송합니다 . 바로 지금 확인 해 보겠습니다 .

7
A： Um, there's a hair in this curry...
B： I'm very sorry. I'll get you a new one.

A：哎 --, 你这咖喱饭里有根头发…
B：啊 , 对不起 . 我马上给您换份新的 .

A：저기 -, 이 카레 , 머리카락이 들어가 있는데요….
B：아 , 죄송합니다 . 새걸로 바꿔드리겠습니다 .

8
A： Excuse me, I bought this umbrella here yesterday but it broke almost immediately...
B： I'm very sorry. I'll exchange it for a new one.

A：不好意思 , 我昨天才在这儿买的这把新伞还没用就坏了 .
B：啊 , 对不起 . 那给您换把新的 .

A：저기 -, 어제 , 여기서 이 우산 샀었는데요 , 바로 고장나버렸거든요….
B：아 , 죄송합니다 . 그럼 새걸로 교환해 드리겠습니다 .

9
A： Excuse me, is it possible to return these items that I bought here?
B： Please wait a moment. I'll go and get the manager.

A：不好意思 , 可以退货吗 ?
B：哦 , 您稍等一下 . 我去叫店长来 .

A：저기 -, 반품은 안되나요 ?
B：아 , 그럼 잠시만 기다려 주세요 . 점장님을 불러오겠습니다 .

10
A： Here is the money for those items.
B： Thank you very much.

A：这位客人 , 那现在退钱给您 .
B：哦 , 拜托了 .

A：손님 , 그럼 , 환불해 드리겠습니다 .
B：아 , 부탁합니다 .

1 A：カラオケ、いかがですか？
F B：あ、結構です。

2 A：ねー、貧乏ゆすり🦶7、やめて。
C B：あ、してた？

3 A：あ、どうもすみません。助かりました。
D B：あ、よかった。気にしないで。

4 A：おじゃまします。これ、召し上がってください。京都のおみやげです。
D B：あ、ありがとう。でも、気を使わないでね。

5 A：あ、くつひも、ほどけてるよ。
C B：あれ？　さっき結んだのに。

6 A：あ、えり、立ってるよ。
C B：あ、どうもありがとう。

7 A：ホラー映画って大っきらい。どうして見るのか、その気持ちがわかんない。
C B：へー、意外と怖がりだね。

8 A：今日、寝過ごしてびっくりしたよ。起きたらもう8時なんだもん。
C B：へー、でも、よく間に合ったねー。

9 A：起立、気をつけ、礼！
B：おはようございます。

10 A：おつかれさまでした🦶8。
B：おつかれさまでした。

1

A : Would you like to go to karaoke?

B : I'm sorry, not right now.

A：卡拉 OK, 怎么样？

B：啊, 不用了.

A：노래방, 어떠십니까?

B：아, 괜찮습니다.

2

A : Stop fidgeting like that.

B : Was I doing that?

A：喂, 别抖了.

B：啊, 我抖了吗？

A：저기, 다리 떨지마.

B：아, 그랬어?

3

A : Thank you so much, that really helped.

B : Ah that's great, think nothing of it.

A：啊, 真是谢谢您, 我得救了.

B：哦, 太好了. 别在意.

A：아, 정말 고맙습니다. 큰 도움이 됐습니다.

B：아, 잘됐다. 걱정하지 말아요.

4

A : Excuse me for disturbing. Please accept this, it's a souvenir from Kyoto.

B : Oh thank you. But you didn't have to that.

A：不好意思, 打扰了. 这是我从京都带来的礼物. 请您尝尝.

B：哦, 谢谢你. 不过你以后别这么客气了.

A：실례합니다. 이거, 드세요. 교토에서 사온거에요.

B：아, 고마워요. 그런데, 신경 안써도 되요.

5

A : Your shoelaces are untied.

B : What! I just tied them!

A：啊, 你的鞋带开了.

B：哎？我刚系上的.

A：아, 구두끈, 풀렸어.

B：어? 아까 묶었는데.

6

A : Your collar is standing up.

B : Ah, thanks.

A：啊, 你的领子竖着没翻好.

B：哦, 多谢.

A：아, 깃이 섰어.

B：아, 정말 고마워.

7

A : I really hate horror films. I can't understand why people watch them.

B : Really? I didn't expect you to be scared of those things.

A：我最讨厌看恐怖片了. 为什么有些人喜欢看呢, 真是不明白.

B：唉--, 没想到你还挺胆小的.

A：공포영화 무지 싫어. 왜 보는지, 그 기분을 모르겠어.

B：저런, 의외로 겁이 많구나.

8

A : I got a shock when I overslept today. When I woke up it was already eight o'clock.

B : Really? But you were right on time.

A：今天我睡过头了. 起来的时候都已经 8 点了, 吓了我一跳.

B：唉—就这你还赶上了呢.

A：오늘, 엄청 자버려서 놀랬어. 일어나니까 벌써 8 시였는걸.

B：헤-, 그래두 시간에 잘 맞춰왔는데.

9

A : Everyone stand! Bow!

B : Good morning!

A：起立, 立正, 敬礼！

B：早上好.

A：차렷, 열중쉬엇, 경례！

B：안녕하세요.

10

A : See you tomorrow.

B : See you tomorrow.

A：辛苦了.

B：辛苦了.

A：수고하셨습니다.

B：수고하셨습니다.

1 A : あの映画、どうだった？
C B : うーん、たいしたことなかった。

2 A : 昨日のテスト、たいしたことなかったね。
C B : え〜、難しかったよ。

3 A : 結婚すると自由がなくなるって言いますが…。
B : そうとも限らないでしょう。

4 A : 携帯電話、変えたの？
C B : ええ、こっちのほうが機能がよくて、料金も安いから。

5 A : 携帯電話の番号とメールアドレスが変わりました。
D B : えー、じゃあ、教えて。

6 A : ＤＶＤを買いたいんだけど…。
C B : じゃー、西新宿のカメラ屋に行ってみたら？　秋葉原より安いよ。

7 A : そのカメラ、ずいぶん古いね。
C B : そうなんだ。じょうぶで長持ちだよ。

8 A : もう、申し込んだ？
C B : まだ。手続きが面倒くさいんだ。

9 A : 明日の今ごろは、北海道にいるんです。
D B : え〜、いいな〜。

10 A : あなたの国では、どうですか？
B : うーん、実は、しばらく帰ってないので、よくわからないんです。

1

A : How was that movie you went to?
B : Well, it wasn't anything special.

A：那部电影怎么样？
B：嗯——一般吧．

A：그 영화 어땠어？
B：으-음，별 거 아니었어．

2

A : Yesterday's test wasn't that hard.
B : Ehh? I thought it was pretty difficult.

A：昨天考的试，也不怎么难嘛．
B：哎——挺难的呀．

A：어제，시험，별 거 아니었지？
B：아냐-어려웠다구．

3

A : They say that when you get married you lose your freedom...
B : That isn't always the case.

A：人们常说一结婚就没有自由了．
B：也不一定吧．

A：결혼하면 자유가 없어진다고 말하는데….
B：그렇지만도 않을 거에요．

4

A : Did you get a new mobile phone?
B : Yes, this one has better functionality and it's cheaper too.

A：你换手机了？
B：嗯，这个又便宜又好用．

A：핸드폰，바꿨어？
B：응．이게 기능도 좋고 요금도 싸거든．

5

A : The telephone number and email address of my mobile phone have changed.
B : Oh. Well tell me what they are now.

A：我的手机号和手机的电子邮件地址都变了．
B：哎——那快告诉我啊．

A：핸드폰 번호랑 메일 주소가 바뀌었어요
B：어-, 그럼, 가르쳐 줘

6

A : I'd like to buy a DVD player.
B : Well, what about going to an electric shop in Nishi-Shinjuku? It's cheaper than Akihabara you know.

A：我想买 DVD.
B：那就去西新宿的电器商店去看？比秋叶原还便宜．

A：DVD 사고 싶은데….
B：그럼-．서신주쿠에 있는 카메라 가게에 가봐．아키하바라 보다 싸다구．

7

A : That camera is pretty old.
B : You're right. It's pretty sturdy and long-lasting, don't you think?

A：那个照相机真够旧的．
B：是挺旧的．因为它很结实所以用了很长时间．

A：그 카메라, 꽤 낡았구나．
B：그런가．튼튼하고 오래 가는데．

8

A : Have you already signed up?
B : Not yet. The procedures are a real hassle.

A：已经申请了吗？
B：还没，手续很麻烦的．

A：벌써, 신청했어？
B：아직．수속 밟는 게 귀찮아．

9

A : By this time tomorrow I'll be in Hokkaido.
B : Wow, that sounds good.

A：明天的这个时候我在北海道呢.
B：哎——,真好．

A：내일 이맘때쯤엔, 북해도에 있을 거에요．
B：와~ 좋겠다~．

10

A : How are things in your country?
B : Well, to be honest I haven't been there in a while so I'm not really sure.

A：在你的国家是怎么样的情况？
B：嗯…,其实我好久都没有回去了，所以不太清楚．

A：당신의 나라에서는 어떻습니까？
B：으-음，사실은，얼마동안 가보지 않아서，잘 모르겠어요．

1 A：何、これ。食べ終わったら片付けなさい！

C B：あー、それまだ食べかけなんだから、おいといてよ。

2 A：引越しの当日は、田中君が手伝ってくれるんだって。

C B：あ、本当〜。よかったね。

3 A：この前の大会、拓也、4位だって。

C B：あ、本当〜。あいつにすれば、まあ、よくやったんじゃん🔑9？

4 A：どこかかゆいところはありませんか？

B：あ、大丈夫です。

5 A：この漬け物、いけるね。

C B：お、そうだろ〜。それ、おばあちゃんが送ってくれたんだよ。

6 A：友だちだからって、許せないことだってあるよ。

C B：まあ、そりゃ🔑10そうだろうけどさー。

7 A：な〜に、その投げやりな態度！

C B：別に〜。

8 A：カラオケ行って、どんな曲歌うの？

C B：J-ポップが多いかな、最近の…。

9 A：車の免許とか持ってないの？

D B：あ、僕まだ16なんです。

10 A：あ〜あ、どうしてあんなことしちゃったんだろう。

C B：まあ、そう言うなって。だれにしろ、そういう瞬間はあるんだから。

1
A : What's this? If you've finished eating then clean everything up!
B : But I haven't finished yet, just leave it.

A：你这是干什么？吃完了就把它收拾了！
B：啊—还剩了一半呢，先放着吧．

A : 뭐야, 이거. 다 먹었으면 정리하세요!
B : 아-, 그거 아직 먹다만 거니까, 놔둬.

2
A : Tanaka-kun said he would help on moving day.
B : Really? That would be a great help.

A：田中说我搬家那天他要来给我帮忙．
B：啊，是吗---. 太好了．

A : 이사하는 날은, 다나카군이 도와준대.
B : 아, 정말~. 잘됐다.

3
A : Apparently Takuya was fourth at the recent tournament.
B : Ah, really? Well, Takuya was always going to do well, wasn't he?

A：听说在这之前的比赛拓也得了第四名呢．
B：啊，真的！对于那家伙来说已经算不错了吧？

A : 얼마 전에 대회, 타쿠야, 4 위였대.
B : 아, 정말~. 그 녀석치고는, 그런대로, 잘 한 거 아냐?

4
A : Do you have an itch anywhere?
B : No, I'm fine.

A：有什么特别痒的地方吗？
B：啊，没有．

A : 어딘가 가려운 곳은 없습니까?
B : 아, 괜찮습니다.

5
A : These pickles really taste good.
B : You think so? Those were sent by my grandmother.

A：哇，这泡菜真好吃啊．
B：是吧，那是我奶奶给我寄来的．

A : 오, 이 장아찌, 꽤 맛있는데.
B : 응, 그렇지. 그거, 할머니가 보내준 거야.

6
A : Even if you're a friend, there are some things that can't be forgiven you know.
B : Well, of course that's true.

A：就算是朋友，也有不可以原谅的事儿．
B：嗯，说的也是．

A : 친구라고 해도, 용서 안 되는 게 있어.
B : 뭐, 그건 그렇지만서도 -.

7
A : What's with that careless attitude?!
B : Nothing...

A：你这什么态度？
B：没什么．

A : 뭐~야. 그 무책임한 태도!
B : 뭐, 별로~.

8
A : When you go to karaoke what sort of songs do you sing?
B : Recently J-Pop songs I guess...

A：你去卡拉 OK 一般都唱什么歌呀？
B：日本的流行音乐比较多吧．最近的...

A : 노래방 가서, 어떤 노래 불러?
B : J-Pop 이 많은가, 요즘엔…

9
A : Do you have a driver's license or something?
B : Um, I'm only sixteen.

A：你有驾照吗？
B：我今年才 16 岁．

A : 운전 면허라든가 있지않아?
B : 아, 저 아직 열여섯살이에요.

10
A : Ahh, why did I have to go and do that?
B : Well, don't say that. Everybody has one of those days from time to time.

A：啊—— 我怎么干出了这样的事儿来．
B：唉，你别那样说，不管是谁，都会有那个时候的．

A : 아~. 왜 그런일 저지른거지.
B : 뭐, 그러지마. 누구라도, 그런 순간은 있으니까.

1 A ： 田中さんの結婚パーティー、いつでしたっけ？

B ： えーと、確か10日の午後3時からです。

2 A ： 当日、どんな服を着て行きますか？

B ： 平服[11]でいいみたいですよ。

3 A ： プレゼントはどうしますか？

B ： いろいろ考えたけど、お金を包むことにしました。

4 A ： 結婚式の時、新郎新婦になんて言えばいいんですか？

B ： そうですね、「ご結婚おめでとうございます。お幸せに！」が一般的ですね。

5 A ： 26.5センチの皮靴を買いたいんですが。

B ： はい。それでは、こちらの靴はいかがでしょうか？

6 A ： 彼女、目がくりくり[12]していて、かわいいね。

C B ： え、彼女みたいなタイプが好きなの？

7 A ： もう3月だよ。そこのカレンダーめくって。

C B ： うん、わかった。

8 A ： バケツの中の水、捨ててください。

B ： はーい。じゃー、庭にまいておきます。

9 A ： コンサートのチケット、予約した？

C B ： それがだめだったんだ。チケット30分で売り切れたらしい。

10 A ： コンサートのチケット、電話予約しておいたから。

C B ： じゃー、すぐにお金振り込まなくちゃね。

1
A : When was Tanaka-san's wedding party again?
B : Hmm, I think it's at three o'clock in the afternoon on the tenth.

A：田中先生的结婚典礼是什么时候来着？
B：嗯 -- 应该是 10 号的下午 3 点吧．

A：다나카상 결혼 파티，언제였더라 ?
B：음，확실히 10 일 오후 3 시부터 에요．

2
A : What are you wearing on that day?
B : It seems that smart-casual dress code should be OK.

A：那天你要穿什么衣服去呢？
B：好像穿便装就可以．

A：그날，어떤 옷 입고 갈 거에요
B：평상복으로 괜찮을 것 같던데요

3
A : What're you going to give as a present?
B : I thought about a lot of things, but in the end I decided to just give some money.

A：礼物怎么办呢？
B：我想了想，还是给钱好了．

A：선물은 어떻게 할 거에요 ?
B：여러 가지 생각해 봤는데，돈을 넣어서 드리기로 했어요．

4
A : What's the best thing to say to the newlyweds at the wedding ceremony?
B : Well, let's see. "Congratulations! I hope you have a happy life together." is normal I think.

A：结婚典礼的时候，要和新郎新娘说什么好呢？
B：是啊，一般都说 "恭喜你，祝你们幸福!"

A：결혼식 때，신랑신부에게 뭐라고 해야 좋을까요 ?
B：글쎄요，〔결혼 축하 드립니다. 행복하게 사세요!〕가 일반적이죠．

5
A : I'd like to buy some 26.5 centimetre leather shoes please.
B : OK. How about these shoes?

A：我想买一双 26.5(号) 的皮鞋．
B：好．那您看看这双怎么样？

A：26.5 센티미터 가죽구두를 사고 싶은데요．
B：에．그러시면，이 쪽 구두는 어떠세요 ?

6
A : Her eyes are really pretty. She's really cute, don't you think?
B : Ah, is that the kind of girl you like?

A：她的眼睛又大又圆，真可爱．
B：哎，你喜欢她那样的类型啊？

A：그 여자，눈이 동글동글한 게，귀여워．
B：어，그 여자 같은 타입이 좋아 ?

7
A : It's already March you know. Please tear off the page on that calendar.
B : OK.

A：都已经 3 月份了，把那日历翻一下．
B：哦，我知道了．

A：벌써 3 월이야. 그 달력 넘겨．
B：응，알았어．

8
A : Please throw away the water in that bucket.
B : OK. Well, I'll just scatter it in the garden.

A：请把桶里的水倒了．
B：好．那我把它洒到院子里了哦．

A：양동이 안의 물，버려 주세요．
B：에 -．그럼．정원에 뿌려 놓을게요．

9
A : Did you reserve the tickets for the concert?
B : That wasn't possible anymore. It seems that the tickets sold out within 30 minutes.

A：你把演唱会的票订好了吗？
B：没定成．听说票早在 30 分钟之内就卖完了．

A：콘서트 티켓，예약했어 ?
B：그게… 안됐어．티켓이 30 분만에 매진됐대．

10
A : I reserved the tickets for the concert by phone.
B : Well, I'll have to transfer the money straightaway then.

A：演唱会的票我已经打电话订好了．
B：那得赶快汇款吧．

A：콘서트 티켓，전화예약 해 두었으니까．
B：그럼，바로 입금 안하면 안되겠네．

1 A：明日、時間通りに来てね。
D B：大丈夫、10分前に来ますから。

2 A：どこで乗り換えるんでしたっけ？
B：新宿が便利ですよ。

3 A：終電に間に合う？
C B：ぎりぎり🔊13かな。急がなくちゃ。

4 A：売店はどこですか？
B：ホーム中央の階段をあがったら、右手にありますよ。

5 A：この電車は渋谷に行きますか？
B：ええ。でも、銀座線の方が早いですよ。

6 A：15引く9はいくつ？
B：6ですよ。

7 A：6足す15はいくつ？
B：6足す15は21でしょう。

8 A：何か意見があれば、遠慮なく言ってください。
B：特にありません。

9 A：わざわざありがとうございました。
B：とんでもないです。

10 A：ご心配をおかけしました。
B：いいえ。大変でしたね。

1 A : Please come on time tomor-row, OK?

B : No problem. I'll be there 10 minutes early.

A：明天你按照老时间来哦．

B：没事儿，我提前 10 分钟来．

A：내일, 제시간에 와.

B：괜찮아요, 10 분전에 갈테니까.

2 A : Where do you have to transfer again?

B : Shinjuku is the easiest.

A：应该在哪儿换车来着？

B：在新宿比较方便．

A：어디서 갈아타야되더라？

B：신주쿠가 편해요.

3 A : Will you be able to catch the last train?

B : It'll be a close call. I have to hurry.

A：你能赶上最后一班车吗？

B：有点儿紧张．得赶快．

A：막차 시간에 맞출 수 있을까？

B：아슬아슬한데. 서둘러야해.

4 A : Is there a kiosk around here?

B : It's on the right hand side if you take the main stairs on the platform.

A：小卖部在哪儿？

B：从站台中央的台阶上来，右手边就是．

A：매점은 어디입니까？

B：플랫홈 중앙계단을 올라가면, 오른쪽에 있어요.

5 A : Does this train go to Shibuya?

B : Yes, but taking the Ginza line would be quicker.

A：这辆电车是去涩谷的吗？

B：嗯，不过坐银座线的话会更快一些．

A：이 전차는 시부야에 갑니까？

B：네. 하지만, 긴자선 쪽이 빨라요.

6 A : What's fifteen minus nine?

B : Six.

A：15 减 9 是多少？

B：是 6.

A：15 빼기 9 는 얼마？

B：6 이에요.

7 A : What's six plus fifteen?

B : Six plus fifteen is twenty-one.

A：6 加 15 是多少？

B：6 加 15 是 21 吧．

A：6 더하기 15 는 얼마？

B：6 더하기 15 는 21 이죠.

8 A : If you have an opinion, don't hesitate and please say it.

B : Nothing in particular.

A：如果您有什么意见的话，请不要客气，尽管说出来．

B：没什么特别的意见．

A：뭔가 의견이 있으면, 개의치 말고 말하세요.

B：달리 없습니다.

9 A : Sorry to have troubled you.

B : Don't worry, it's nothing.

A：谢谢您特意○○。

B：没什么．

A：이렇게까지 일부러 감사합니다.

B：천만에요.

10 A : Sorry to have caused you to worry.

B : Not at all. It was really hard, wasn't it?

A：给您添麻烦了．

B：没什么，你也辛苦了．

A：걱정 끼쳐드렸습니다.

B：아뇨. 힘드셨죠.

解 説 ◆ explanation 解说 해설

① 口は災いの元
くち　わざわ　　もと

ことわざの1つで、言葉に気をつけないと、悪い
結果を招きかねないという意味です。

A proverb meaning that if you aren't careful with
what you say, then the consequences may be
bad.

这是一句谚语. 意思是指在说话时, 如果不加以小心
的话, 会导致坏的结果或者招来祸事.

속담중의 하나 . 말에 신경쓰지 않으면 , 나쁜 결과를 불
러온다는 의미 .

② やっぱ

「やっぱり」のカジュアルな言い方です。

A casual form of やっぱり.

「やっぱ」(yappa) 是「やっぱり」(yappa-ri) 的口
语形式.

「やっぱり」의 회화체입니다 .

③ あんだって

「あるんだって」のカジュアルな言い方です。

A casual form of あるんだって.

「あるんだって」(a-ru-n-datte) 的口语形式.

「あるんだって」의 회화체입니다 .

④ 百均
ひゃっきん

「100円ショップ」と同じ意味の若者言葉です。

A word used by young people with the same
meaning as a 100 yen shop.

这里的「百均」(hyakkin) 与百元店的意思相同. 是
年轻人常用的口语.

「100円ショップ」와 같은 의미의 신세대어 .

⑤ だめもと

はじめからから駄目だと分かっているという意味
です。「だめもとで頑張る」は、失敗してもいいか
ら頑張ってみるという時に使う表現です。

This expression is used when you know that
things will be bad from the beginning. だめもとで
がんばる means that it's acceptable to fail so you
will put in your best effort and see what happens.

在开始时就已知道结果会徒劳无功.「だめもとで頑
張る」的意思是不管结果是成功还是失败, 都全力
以赴.

원래부터 안될것임을 알고 있다는 의미입니다 . 「だめも
とで頑張る」는 , 실패해도 괜찮으니까 열심히 해보려고
하는 때 사용하는 표현 .

⑥ たまってんだ

「たまっているんだ」のカジュアルな言い方です。

A casual form of たまっているんだ.

「たまっているんだ」(ta-ma-tte-i-ru-n-da) 的口语
形式.

「たまっているんだ」의 회화체입니다 .

⑦ 貧乏ゆすり
びんぼう

癖の一つで、足を小刻みに揺することです。木を
揺すると実が落ちるのと同じように人間もお金が
落ちて貧乏になることを例えています。

This phrase describes the habit of tapping or
shaking your leg or foot repeatedly. When a tree
shakes then its seeds fall to the ground. This
phrase likens this to a person shaking and their
money falling to the ground.

这是一种不好的习惯. 脚小幅度地摇摆的意思. 在这
里把人比做树, 树摇摆之后, 果实会从树上坠落. 人
在摇摆之后钱也会没有, 也就意味着人会变成穷人.

버릇중의 하나로 , 다리를 가늘게 떠는 행동 . 나무를 흔
들면 열매가 떨어지는 것처럼 인간도 돈이 떨어져 가난
해지는 것을 비유합니다 .

⑧ おつかれさまでした

一緒に仕事をしている人同士が、仕事を終えた時にお互いに交わす挨拶です。

This phrase is used at work between people of the same level. It is said when work has finished and is repeated by the listener.

同事之间在工作结束时的寒暄词.

함께 일을 하는 사람들끼리 일을 끝냈을 때 서로 주고받는 인사입니다.

⑨ やったんじゃん

「やったじゃない(= やったね)」のカジュアルな言い方です。元々は方言でしたが、今は広く使われています。

A casual form of やったじゃない (= やったね). This was originally a dialect heard only in parts of Japan but it is now widely used.

「やったんじゃん」(yatta-n-jyan) 是「やったじゃない(= やったね)」(yatta-jya-na-i = yatta-ne) 的口语形式. 原本是方言,但是现在被广泛地使用着.

「やったじゃない(= やったね)」의 회화체. 원래는 방언(사투리) 였지만, 지금은 널리 사용되고 있습니다.

⑩ そりゃ

「それは」のカジュアルな言い方です。

A casual form of それは.

「そりゃ」(so-rya) 是「それは」(so-re-wa) 的口语形式.

「それは」의 회화체입니다.

⑪ 平服
へいふく

正装ではなく、普段着でもないスーツのような少し改まった服装のことです。

This is not full dress uniform, however it is a little bit more formal than the normal suit that would be worn to work.

不算是正式的服装,但也不算是休闲服.它是将西服稍加修改的服装.

완전한 정장도 아닌, 완전한 캐주얼한 복장도 아닌 수트느낌의 조금 격식을 차린 복장을 말합니다.

⑫ くりくり

目が大きくて、よく動く様子を表わす擬態語です。可愛らしいニュアンスを含みます。

A mimetic word used to describe big eyes. It also contains the nuance of being cute.

这是表示眼睛很大,总是滴溜滴溜地转的拟态词.在其中包含有看上去很可爱的意思.

눈이 커서, 자주 움직이는 모습을 나타내는 의태어입니다.

⑬ ぎりぎり

「目的や目標にやっと届く程度」という意味を表わす擬態語です。

ぎりぎり is a mimetic word. It refers to a state where a goal or a target has only just been reached.

「ぎりぎり」(gi-ri-gi-ri) 是拟态词.表示紧紧张张地达到了目的,目标或完成了任务的意思.

「ぎりぎり」는 의태어.「목적과 목표에 겨우 도달하는 정도」라는 의미.

❷ 相手がいると楽しい
/ It's fun to have a partner / 有说话人时就会变得很愉快 / 상대가 있으면 즐겁다

　会話の意味が理解できてシャドーイングにも慣れてきたら、誰か相手を見つけてペアでシャドーイングすることをお勧めします。相手がいることで、感情を入れてことばを発せるようになり、本当の会話らしくなります。アクセントやイントネーションだけでなく顔の表情や身ぶり手ぶりまでが自然になり、まるで自分たちの会話をしているように楽しくシャドーイングができます。「使える!」が実感できる瞬間です。

　When you understand the meaning of conversations and you have grown accustomed to Shadowing, it's recommended to find somebody to practise Shadowing with as a pair. When there is someone else to practise with you can also use body language to more accurately simulate a real conversation. As well as accent and intonation, facial expressions, gestures and other body language will become more natural and you'll have more fun with Shadowing by making it into your own personal conversation. At that moment you'll really feel that Shadowing is something you can use.

　如果能够理解会话的内容，并且也习惯了影子练习的话，希望你能够找到一个练习的对象两个人一起进行影子练习是最好的。有了练习对象的话，在说话时投入感情，可以将对话变得像真正的会话一样。这时不仅是语音和语调，就连表情以及手，身体的动作也会变得很自然，就像自己在真正说话一样可以很愉快地进行影子练习。「能用上！」你能够在这一瞬间感受到这种实用感。
有说话人时就会变得很愉快

　회화의 의미를 이해할 수 있게 되고 シャドーイング 에도 익숙해지면 , 누군가 상대를 찾아 짝을 이루어 シャドーイング 할 것을 권합니다 . 상대가 있다는 것으로 , 감정을 넣어 말할 수 있게 되고 , 실제 회화처럼 됩니다 . 악센트나 인터네이션뿐만이 아니라 얼굴의 표정이나 제스처까지 자연스러워지고 , 온전히 자신들만의 회화를 하는 것처럼 즐겁게 シャドーイング 를 할 수 있습니다 . 「쓸 수 있다 !」 라고 실감할 수 있는 순간입니다 .

Unit

5

ここでは、少し長い会話を練習して、実用的な表現にチャレンジ
してみましょう。知っておくと便利な生活情報も得られます。

Let's challenge ourselves by practising reasonably long conversations and practical expressions. You'll also obtain information that can be useful in your daily life.

在这儿，练习较长的会话，并来试着挑战一下比较实用的表现吧。如果预先知道的话，就能够得到许多有利于生活的方便的信息。

여기에서는 조금 긴 회화를 연습하고, 실용적인 표현에 도전해 봅시다. 알아 두면 편리한 생활 정보도 얻을 수 있습니다.

Level ★★★★☆

使役受身　尊敬語 / 謙譲語 諺　パソコンにまつわる表現	• （電源を）落とす
Causative-passive form honorific/humble proverb Expressions about computer	• 一石二鳥 • 継続は力なり • きりがいい
使役被动　尊敬语 / 自谦语　諺 关于电脑用法的表达方式	• ご案内させていただきます
사역수동　존경어 / 겸양어　속담 컴퓨터에 관련된 표현	etc.

1　A：今年の目標は？

　　B：そうですね。英会話を始めようと思っているので、それを続けることです。

　　A：「継続は力なり」💡¹ですね。

2　A：明日の約束忘れないでね。

C　B：大丈夫だよ。たぶん…。

　　A：え、たぶん？

3　A：すみません、出席率を調べていただきたいんですが。

　　B：あ、はい。次の休み時間までに調べておきます。

　　A：じゃ、よろしくお願いします。

4　A：小林さん、何見てるの？

C　B：この間の旅行の写真。

　　A：え、どこいったの？

5　A：すみません。コピーをさせていただいてもよろしいですか？

F　B：あ、はい。どうぞ。

　　A：ありがとうございます。

6　A：ハックション！　ハックション！

C　B：あれ？　花粉症？

　　A：ハックション！

7　A：卒業したらどうするんですか？

　　B：外資系の会社に就職することが決まったんです。

　　A：あ、それはよかったですね。

1 A : What's your goal for this year?

B : Well, I plan to start English conversation classes, so I guess it would be to continue with that.

A : So "Perseverance pays" I guess.

A：你今年的目标是什么？

B：是啊. 我想开始学习英语会话, 所以今年的目标是坚持学习它.

A：坚持就是胜利.

A：올해의 목표는?

B：글쎄요. 영어회화를 시작해 보려고 하는데 그걸 계속 하는 거예요.

A：천리길도 한 걸음부터. 네요.

2 A : Don't forget about tomorrow's appointment.

B : Don't worry. I guess...

A : You guess?!

A：你别忘了明天的约会哦.

B：没事的. 可能吧...

A：哎↗可能？

A：내일 약속 잊지마.

B：괜찮아. 아마도….

A：뭐, 아마도？

3 A : Excuse me. Could you investigate the attendance figures please?

B : Ah, yes. I'll look into it during the next break.

A : OK then. I'm counting on you.

A：不好意思, 我想查一下我的出勤率.

B：哦, 好. 你到下节课课间的时候再来, 就应该已经查好了.

A：好, 那就拜托您了.

A：죄송해요, 출석률을 알아보고 싶습니다만.

B：아, 예. 다음 쉬는 시간까지는 찾아놓을게요.

A：그런, 잘 부탁 드립니다.

4 A : What are you looking at Kobayashi-san?

B : Photographs from my recent trip.

A : Ah. Where did you go?

A：小林, 你在看什么？

B：前几天去旅行的照片.

A：哎, 你去哪儿了？

A：고바야시상, 뭐 하고 있어？

B：요전번 여행 사진.

A：어, 어디 갔었어？

5 A : Excuse me. Is it OK if I use the photocopier?

B : Ah, yes. Go ahead.

A : Thank you very much.

A：不好意思. 让我复印一下好吗？

B：哦, 好, 请吧.

A：谢谢！

A：실례합니다. 복사해도 괜찮겠습니까？

B：아, 예. 그러세요.

A：감사합니다.

6 A : Achoo! Achoo!

B : What's wrong? Hay fever?

A : Achoo!

A：阿嚏, 阿嚏

B：哎？你得了花粉症？

A：阿嚏！

A：엣취！엣취！

B：어라？꽃가루？

A：엣취！

7 A : What are you going to do after you graduate?

B : I've decided to look for work with a foreign company.

A : Ah, that sounds good.

A：你毕业后准备干什么？

B：我已经决定在外企工作了.

A：啊, 那很好呀.

A：졸업하면 뭐 하실거예요？

B：외국계회사 취직이 결정됐어요.

A：아, 그거 잘 됐네요.

⑧ A ： そう言えば、昨日田中さんにあったよ。

C B ： へー、元気だった？

A ： うん、ぜんぜんかわらないよ。

⑨ A ： きりがよかったら🐾²こっちでコーヒー飲まない？

C B ： うん。もうちょっと待ってて。

A ： じゃ、入れとくね。

⑩ A ： このコンピュータ、だれか使ってるの？

C B ： あ、それ 落としといて🐾³。

A ： あれ、このワード、どうしよう。

B ： あ、上書き🐾⁴しといて。

8　A：Speaking of which, I saw Tanaka-san yesterday.

　　B：Really? How was he?

　　A：Yeah, he hasn't changed at all.

A：你这么一说我想起来了，昨天我碰见田中了．

B：唉 --- 他好吗？

A：嗯，他一点都没变．

A：그러고 보니까 , 어제 다나카상이랑 만났어 .

B：어 - 그래 ? 건강해 ?

A：응 , 전혀 변함없어 .

9　A：Whenever you're ready, would you like to come for a coffee?

　　B：Yes, I'll just be a little while, OK?

　　A：Well, I'll pour you a cup.

A：你那儿要是完了的话，来这边喝杯咖啡吧？

B：嗯．再稍微等一下儿．

A：那我先冲好了放着哦．

A：짬 나면 이쪽에서 커피 안 마실래 ?

B：응 . 조금만 기다려 .

A：그럼 , 커피 끓여놓을게 .

10　A：Is somebody using this PC?

　　B：Ah, you can turn that off.

　　A：What do I do with this document?

　　B：Ah, save that please.

A：是谁在用这台电脑？

B：啊，帮我把它关了吧．

A：唉，这个 WORD 文件怎么办？

B：啊，帮我把它存一下吧．

A：이 컴퓨터 , 누가 쓰고 있어 ?

B：아 , 그거 로그오프 해 둬 .

A：어라 , 이 워드 , 어떡할까 .

B：아 , 저장해 둬 .

1 A : 先生、ご無沙汰してます。
　　 B : あ、山田君。最近どうですか？
　　 A : ええ、なんとかやってます。

2 A : 田中さん、カゼをこじらせて入院したそうですよ。
D B : えっ、じゃ、お見舞いにいかなくちゃ。
　　 A : 行くなら一緒に行きませんか？

3 A : どう？　今日、焼き肉に行かない？
C B : 焼き肉か〜、おととい、食べ放題で、いやっていうほど肉を食べたんですよ。
　　 A : へー、いいなー。じゃ、今日もそこ行かない？
　　 B : だから！

4 A : なんだか最近寝ても疲れが取れないんだよねー。
C B : あ、本当？　肩揉んであげようか。
　　 A : 本当？　いいの？

5 A : お見舞いに行く時、何を持って行きましょうか？
　　 B : そうですね、普通だけど、花にしようか？
　　 A : ええ、切り花5でしたよね。

6 A : ねー、こんどまたディズニーランドに行こうよ。
C B : え〜。また〜。そのうちね。
　　 A : そのうちっていつ？

7 A : どこの病院に入院したんですか？
　　 B : 西新宿の大学病院みたいですよ。
　　 A : あ、そうですか。

1

A : It's been quite a while sensei.

B : Ah, Yamada-kun. How have you been doing?

A : Well, I'm getting by.

A：老师，好久不见您了．

B：哦，是山田呀，最近怎么样？

A：嗯 --- 凑凑和和干着呢。

A：선생님，오랜만입니다．

B：아，야마다군．최근에 어때요？

A：네，그럭저럭입니다．

2

A : Tanaka-san's cold has gotten worse and he's been hospitalized.

B : Ah, really? Well, I'll have to pay him a visit then.

A : If you're going shall we go together?

A：田中先生把感冒拖得都住院了．

B：哎，那我们不得不去看看他．

A：要是去的话我们一起去好吗？

A：다나카상，감기가 심해져서 입원 했대요．

B：엇，그럼，문병가야겠네．

A：갈 거면 같이 가시지않을래요？

3

A : Well? Do you want go to yakinuku today?

B : Yakiniku... The day before yesterday at the all-you-can-eat, I ate so much meat I almost got sick.

A : Really? Sounds good. Shall we go there today as well then?

B : Like I said...

A：今天一起去吃烤肉怎么样？

B：烤肉呀，前天我去吃了烤肉的自助餐．吃得太多了，都烦了．

A：唉 --- 真好．那你今天也去？

B：我这儿刚跟你说什么来着？

A：어때？오늘，불고기 먹으러 안갈 래？

B：불고기？ 그저께，뷔페에서，질 릴 정도로 고기를 먹었어요．

A：헤-，괜찮은데-．그럼，오늘도 거기 안갈래？

B：그러니까！

4

A : Lately, no matter how much I sleep I can't seem to shake off this fatigue.

B : Ah, really? Shall I massage your shoulders for you?

A : Really? You don't mind?

A：最近不知道为什么，怎么睡都觉得不解乏．

B：是吗？我给你揉揉肩吧．

A：真的？可以吗？

A：왠지 최근엔 잠을 자도 피로가 풀 리질 않네-．

B：아，정말？어깨 주물러줄까？

A：진짜？괜찮아？

5

A : When you're visiting someone in the hospital what do you have to bring?

B : Let me see. It's nothing new, but how about flowers?

A : Yes, cut flowers might be best.

A：去探望病人的时候应该带点儿什么东西呢？

B：是啊，一般都是带花去吧？

A：嗯，捧花吧．

A：문병갈때，뭘 들고 갈까요？

B：글쎄요，평범하지만，꽃으로 할 까？

A：네，꽃다발이죠．

6

A : Hey, let's go to Disneyland again.

B : What? Again? After a while, OK?

A : When is after a while?

A：喂，我们下次再去迪斯尼乐园吧．

B：哎 ---，还去啊．到时候再说吧．

A：你那到时候是什么时候呀？

A：있지，다음번에 또 디즈니랜드 가요．

B：에-．또．조만간．

A：조만간 언제？

7

A : Which hospital did he go to?

B : The university hospital in Nishi-Shinjuku it seems.

A : Ah, I see.

A：他在哪个医院住院啊？

B：好像是在西新宿的一个大学医院吧．

A：哦，是吗．

A：어느 병원에 입원했어요？

B：니시신주쿠에 있는 대학병원인거 같아요．

A：아，그래요？

8
C

A : ねーねー、あのまるい眼鏡をかけてマフラーしている男の人…。
　　どっかで見たことない?

B : あー、あの人ね。隣のコンビニの店長でしょう。

A : あ、そうだね。制服じゃないとわかんないね。

9

A : このへんに100円ショップはありますか?

B : はい。この道を真直ぐ行くと、コンビニがあります。その隣です。

A : まだ、開いていますかね。

B : ええ、24時間営業だから大丈夫ですよ。

10
C

A : 最近、出会いがないよね。

B : うん。合コンしてみる?

A : まー、だめもとでしてみるか。

8

A : Hey! Hey! Didn't we see that man wearing the round glasses and scarf before?

B : Ah, that guy. He's the manager of the convenience store next door.

A : Ah, yes. He looks completely different without his uniform.

9

A : Is there a 100 yen shop near here?

B : Yes, if you go straight down this road then there's a convenience store. It's next to that.

A : Do you think it's still open?

B : Yes, it's open twenty-four hours a day, so it's OK.

10

A : I haven't met anybody lately.

B : What about a group date?

A : Well, for the moment let's try that then.

A : 喂 , 喂 , 那个戴着圆圆的眼镜围着围巾的男的 , 好像在哪儿见过吧 ?

B : 啊 , 那个人呀 . 他是这附近便利店的店长吧 .

A : 啊 , 是哦 . 他没穿制服所以我都不认识了 .

A : 这附近有百元店吗 ?

B : 有 . 您顺着这条路一直往前走 , 有个便利店 . 旁边就是百元店 .

A : 还开着门呢吧 ?

B : 嗯 , 那儿是 24 小时营业所以应该没问题 .

A : 最近根本就没有和异性接触的机会呀 .

B : 嗯 , 开个联谊会试试吧 ?

A : 也好 , 反正我肯定不行 , 也无所谓了 .

A : 있지 , 있지 , 저기 둥근 안경 쓰고 머플러하고 있는 남자…
어디서 본 적 없어 ?

B : 아 , 그 사람 . 옆 편의점 점장이잖아요 .

A : 아 , 그러네 . 유니폼이 아니면 모르겠어 .

A : 이 근처에 100 엔샵 있습니까 ?

B : 이 길을 똑바로 가면 , 편의점이 있습니다 . 그 옆입니다 .

A : 아직 , 열려있겠습니까 ?

B : 네 , 24 시간 영업이라 괜찮아요 .

A : 최근 , 건 수가 없어 .

B : 응 . 미팅할래 ?

A : 뭐 , 안되도 그만이니까 해볼까 .

1　A：明日の今ごろは、北海道にいるんです。
C　B：えー、いいなー。何しに行くの?
　　A：うん、ただの出張だよ。

2　A：ねー、歯にのりついてない?
C　B：うん、大丈夫。私は?
　　A：あ、なんか、右のほうについてるよ。

3　A：オレのみそ汁を作ってくれ!💡6
C　B：え、そ、それってプロポーズ?
　　A：あー。

4　A：昨日、行った店、食べ放題💡7、飲み放題で２９８０円だったよ。
C　B：それって、けっこうやすいね。その店どこにあるんですか?
　　A：駅の向こう側。ちょっと説明難しいなー。
　　B：じゃ、今日、帰りに教えてよ。

5　A：田中さんの結婚パーティーっていつでしたっけ?
　　B：えー、確か10日の３時からです。
　　A：え、10日でしたっけ?

6　A：今日、寝過ごしてびっくりしたよ。起きたらもう８時なんだもん。
C　B：へー。でもよく間に合ったね。
　　A：うん。でも焦ったよ。

7　A：すごい肩だね。こってるね。どう?
C　B：あ〜、すごく気持ちいい。あ、もういいよ。どうもありがとう。
　　A：いえいえ。
　　B：あーー、本当気持ちよかった。軽くなった。

1
A : By this time tomorrow, I'll be in Hokkaido.

B : Wow, that sounds good. What are you going to do there?

A : Yeah, it's just a business trip.

A：明天的这个时候，我已经在北海道了。

B：哎---，真好。你去那儿干什么？

A：嗯，只是去出差而已。

A：내일 이맘때쯤에는, 북해도에 있을 거에요.

B：와 - 좋겠다. 뭐 하러 가는데?

A：응, 그냥 출장이야.

2
A : Hey, is there any seaweed on my teeth?

B : No, you're fine. What about me?

A : Ah, there's a bit stuck on the right.

A：喂，我的牙上有没有粘着海苔？

B：嗯，没有，我呢？

A：啊，你右边的牙上粘着一个。

A：있잖아, 이빨에 김 안 꼈어?

B：응, 괜찮아. 나는?

A：어, 저기, 오른쪽에 꼈어.

3
A : Make my breakfast from now on!

B : Eh, is that a proposal?

A : Yes.

A：我想让你给我做大酱汤！

B：哎，你这是在向我求婚？

A：啊---。

A：매일 네가 해준 밥을 먹고 싶어.

B：어, 그, 그건 프로포즈야?

A：어 -.

4
A : The place I went to yesterday was all you could eat and drink for only 2980 yen...

B : That's pretty cheap. Where was that?

A : On the other side of the station. But it's a bit difficult to explain.

B : Well, when we go home later today please show me.

A：昨天我去的那个店是自助餐。随便吃，随便喝一共才 2980 日元呦。

B：随便吃，随便喝 2980 日元。挺便宜的。那个店在哪儿？

A：在车站的那边儿。解释起来比较难啊。

B：那，今天我们回去的时候再告诉我怎么去吧。

A：어제 갔던 가게, 식사랑 음료 무제한에 2980 엔이었어.

B：그거, 꽤 싸네요. 그 가게 어디에 있어요?

A：역 건너편에 있어. 좀 설명하기 어렵네 -.

B：그럼, 오늘, 집에 갈 때 가르쳐 줘요.

5
A : When was Tanaka-san's wedding party again?

B : Hmm, I think it's at three o'clock on the tenth.

A : Really? Are you sure it's the tenth?

A：田中先生的结婚典礼是什么时候来着？

B：嗯，应该是 10 号的 3 点吧。

A：哎↗是 10 号来着？

A：다나카상 결혼 파티, 언제였더라?

B：어 - 확실히 10 일 3 시부터에요.

A：어, 10 일이었던가?

6
A : I had a bit of a shock when I overslept today. When I woke up it was already eight o'clock.

B : Really? But you were right on time.

A : Yeah, but I really had to hurry.

A：今天，我睡过头了，起来的时候都已经 8 点了，吓了我一跳。

B：哎 ---。不过你还是赶上了。

A：嗯，但是快急死了。

A：오늘, 늦잠 자서 깜짝 놀랐어. 일어나 보니까 이미 8 시인 거 있지.

B：와 - . 근데 늦지 않고 잘 왔네.

A：응, 근데 초조했어.

7
A : This shoulder is incredibly stiff. How's that?

B : Ah, it feels really good. Ah, that's OK. Thank you.

A : Don't worry about it.

B : Ah, it really feels better. It feels much lighter.

A：你的肩膀真硬啊，有点儿酸痛吧？--- 怎么样？

B：啊，真舒服。哦，好了，多谢了。

A：不用不用。

B：不过，真的感觉不错，轻松多了。

A：어깨 되게 뭉쳤네…. 어때?

B：아 - 엄청 기분 좋아. 아, 이제 괜찮아. 정말 고마워.

A：아냐 아냐.

B：아, 진짜 기분 좋았어. 가뿐해졌어.

8 A：ねー、シャツ見て。これとこれ、今日どっちの方がいいと思う？

C B：どちらかって言えば、こっちかな。

A：そう？　でも、こっちの方がよくない？

B：なーんだ！　人に聞いといて、もう決まってるんだ。

9 A：あ、もう帰んなくちゃ。

C B：え、早いね。

A：うん、今晩、気になる番組があるから。

10 A：うわー、日焼けしたね。どこ行ったの？

C B：うん、ちょっとハワイ[8]にね。

A：ちょっとハワイ？

8

A : Hey, look at these shirts. This one or this one, which one do you think is better for today?

B : Well, if I had to choose, I suppose it would be this one.

A : Really? But isn't this one better?

B : What? You're asking what I think, but you've already decided!

A：喂,你看,这两件衬衫.你觉得哪件好?

B：要说哪件好的话,还是这件吧.

A：是吗?但是这件不好吗?

B：什么嘛!你都决定了还问别人.

A : 저기 , 셔츠 봐봐 . 이거랑 이거 , 오늘 어느 쪽이 좋다고 생각해 ?

B : 어느 쪽이냐고 하면 , 이거 .

A : 그래 ? 그치만 , 이게 더 좋지 않아 ?

B : 뭐야 ! 사람한테 물어 봐 놓고 이미 정해 놨잖아 .

9

A : Ah, I have to go now.

B : Really? That's early.

A : Yeah, there's a TV-program I want to see.

A：啊,我得回家了.

B：哎,还早呢.

A：嗯,今天晚上我有一个想看的电视节目所以 ---.

A : 아 , 이제 돌아가야겠다 .

B : 어 , 빠르네 .

A : 응 , 오늘 밤 , 보고 싶은 방송이 있어서 .

10

A : Wow, you have really bad sunburn. Where did you go?

B : Yeah, I went to Hawaii for a little bit.

A : A little bit?!

A：哇,你晒黑了,去哪儿?

B：嗯,只是去了趟夏威夷.

A：只是(去了趟夏威夷)?

A : 우와 -, 엄청 탔네 . 어디 갔었어 ?

B : 응 , 그냥 좀 하와이에 .

A : 그냥 좀 하와이 ?

1 A：いらっしゃいませ。

B：すみません、これクリーニングお願いします。

A：はい。えーと、ワイシャツ3枚とズボン1本ですね。

2 A：今日は、どうなさいますか？

B：カットをお願いします。

A：かしこまりました。

B：あのー、この写真の髪型みたいにできますか？

3 A：これ、エアメールでお願いしたいんですけど。

B：はい。えーと、イタリアですから110円ですね。

A：どのくらいで着きますか？

B：一週間くらいでしょうかねー。

4 A：このくつ、直りますか？

B：ええ、大丈夫ですよ。明日まででいいですか？

A：できれば、今日がいいんですけど。

B：わかりました。じゃー、夕方5時頃までにやっておきます。

5 A：あのー、初めてなんですけど。（※病院で）

B：はい。では、こちらの問診票にご記入ください。

A：あのー、漢字が難しくて読めないんですけど…。

B：じゃー、質問を読みますから、それに答えてくださいね。

6 A：おリボンは何色になさいますか？

B：ピンクでお願いします。

A：包装紙はどちらにいたしましょうか。

B：じゃー、この無地のにしてください。

1 A : Welcome!
B : I'd like to have this cleaned please.
A : No problem. So that's 3 shirts and 1 pair of trousers, right?

A : 欢迎光临.
B : 不好意思, 这个麻烦您干洗一下.
A : 好. 嗯---,3 件衬衫和 1 条裤子.

A : 어서오십시오.
B : 실례합니다, 이거 세탁 부탁 드릴게요.
A : 네. 음 - 그러니까, 와이셔츠 3 장이랑 바지 한벌이네요.

2 A : What can we do for you today?
B : I'd like to have a haircut please.
A : Certainly.
B : Excuse me, but can you cut it in the same way as the person in this photograph?

A : 今天您想怎么做呢?
B : 请剪短吧.
A : 好, 明白了.
B : 嗯, 能剪成这张照片这样吗?

A : 오늘은, 어떻게 하시겠어요?
B : 컷트 부탁드려요.
A : 알겠습니다.
B : 저 -, 이 사진 머리모양처럼 될까요?

3 A : I would like to send this by airmail please.
B : Certainly. Let's see... to Italy that'll be 110 yen then.
A : How long will it take?
B : It should be there in approximately 1 week.

A : 这个麻烦您寄航空信.
B : 好. 嗯, 寄往意大利的 110 日元.
A : 要花多长时间呢?
B : 一个星期左右.

A : 이거, 항공우편으로 부탁하고 싶은데요.
B : 네. 그러니까, 이 탈리아니까 110 엔이네요.
A : 얼마쯤 걸려서 도착합니까?
B : 일주일 정도일까요.

4 A : Is it possible to get these shoes fixed?
B : Yes, of course. They'll be done by tomorrow, is that ok?
A : Is it possible to get it fixed today?
B : Well, I'll try to get it done by five in the evening then.

A : 这双鞋能修好吗?
B : 嗯, 没问题. 明天来取可以吗?
A : 今天的话, 不可以吗?
B : 可以. 那我赶下午 5 点以前修好.

A : 이 구두, 고칠 수 있을까요?
B : 네, 됩니다. 내일까지 괜찮습니까?
A : 가능하면, 오늘까지면 좋겠는데요.
B : 알겠습니다. 그럼, 저녁 5 시경까지 해두겠습니다.

5 A : This is my first time here. (At the hospital)
B : I understand. Could you please fill in this form then?
A : I'm sorry, but the kanji is quite difficult so I can't read it...
B : I see. Well, I'll just read out the questions then. Can you please answer them?

A : 嗯---, 我是第一次来这儿看病.
B : 好. 那先填一下这张病历.
A : 嗯, 这些汉字太难了, 我看不懂.
B : 那我来念, 你来回答好吗?

A : 저기, 처음인데요. (* 병원에서)
B : 네. 그럼, 이쪽 문진표에 기입해 주세요.
A : 저, 한자가 어려워서 읽질 못하 겠는데요…
B : 자, 질문을 읽을 테니까, 질문에 답해주세요.

6 A : What colour ribbon would you like?
B : Could I have the pink one please.
A : Which wrapping would you like?
B : I'll have the plain one please.

A : 丝带用什么颜色呢?
B : 用粉红色的.
A : 包装纸用哪一种呢?
B : 那就用这种素色的吧.

A : 리본은 무슨 색으로 하시겠어요?
B : 핑크로 부탁드려요.
A : 포장지는 어떤걸로 해드릴까요?
B : 그럼, 이 무늬없는 걸로 해주세요.

7 　A ： あのー、定期、落としちゃったみたいなんですけど…。

　　B ： いつですか？

　　A ： 昨日の午後3時頃です。届いてますか？

　　B ： ちょっと待ってください。今調べますから。

8 　A ： これ、払えますか？

　　B ： こちらは郵便局専用の払込み用紙になってますので…。

　　A ： あー、そうですか。じゃー、これは大丈夫ですか？

9 　A ： カードでいいですか？

　　B ： はい。お支払いは…。

　　A ： 1回で。

　　B ： では、こちらにご署名お願いします。

10 　A ： はい、佐藤です。

　　B ： あ、もしもし、エミリーです。太郎さん、いらっしゃいますか。

　　A ： あー、エミリーさん。太郎は、今出かけてますよ。

　　B ： あ、そうなんですかー。じゃ、また後でかけます。

7
A : Excuse me, I think that I dropped my commuter pass...
B : When was that?
A : It was yesterday afternoon at around three o'clock. Has it been handed in?
B : Please wait a moment, I'll go and check.

A：嗯，我好像把月票给弄丢了．
B：什么时候？
A：昨天下午 3 点左右．被送到这儿来了吗？
B：请稍等．我查一下．

A：저기, 정기권, 떨어 뜨린거 같은데요…
B：언제입니까？
A：어제 오후 3 시경입니다．접수되어 있습니까？
B：잠시만 기다리십시오．지금 알아 볼 테니까．

8
A : Can I pay for this here?
B : This form is for use at post offices.
A : Oh, really? Well, is this all right?

A：这个可以在这儿付吗？
B：这是邮局的专用付款纸所以－－－
A：哦，是吗．那这个呢？可以吗？

A：이거, 납부 할 수 있습니까？
B：이쪽은 우체국전용 지불용지로 되어 있기 때문에…
A：아, 그렇습니까？ 그럼, 이건 괜찮습니까？

9
A : Can I pay by card?
B : Certainly, would you like to pay in installments?
A : No, just once please.
B : OK, if you'll sign here please.

A：可以刷卡吗？
B：可以．您一次付清吗？
A：对，一次付清．
B：请您在这儿签名．

A：카드로 됩니까？
B：네．지불은…
A：1 개월로．
B：그럼, 이쪽에 서명 부탁드립니다．

10
A : Hello, Sato residence.
B : Hello, this is Emily. Is Tarou-san there?
A : Ah, Emily-san, good evening. Tarou's not here at the moment.
B : Really? OK, I'll call back later.

A：喂，我是佐藤．
B：喂，我是艾米莉．太郎在吗？
A：哦，是艾米莉小姐啊．太郎他出去了．
B：是吗．那我呆会儿再打．

A：네, 사토입니다．
B：아, 여보세요, 에밀리입니다．타로상, 계십니까？
A：아, 에밀리상．타로는 지금 외출 중이에요．
B：아, 그런가요？ 자, 이따가 다시 걸겠습니다．

1 A：先生、ビザを延長するところは、なんというんですか？

   B：あー、それは入国管理局ですよ。

   A：にゅうこく…。

   B：にゅう、こく、かん、り、きょく。短く言うと、にゅうかん。

2 A：お伺いしておりますか？

   B：えっ？　あー、あのー、口座を作りたいんですが。

   A：ご新規ですね。では、こちらの番号札をお取りになってお待ちください。

3

C A：風の音がビュービュー🦶9すごいね。

   B：うん、こんな日にハイキングなんて最悪！

   A：雨でも降ってくれれば、中止になるのにね。

4 A：あー、奥歯が虫歯になってますねー。痛みますか？

   B：いえ、特には…。

   A：じゃ、悪いところを削っていきます。痛かったら手を上げてください。

5 A：先生、合格しました！

   B：わー、おめでとう。よく頑張りましたね。

   A：先生のおかげです。本当にありがとうございました。

6 A：いろいろお世話になりました。明日、国に帰ります。

   B：そうですかー。寂しくなりますねー。

   A：ぜひ、遊びに来てください。ご案内しますから。

   B：うん、行く時は必ず連絡しますね。

1

A : Sensei, what do you call the place where you can extend your visa?

B : Ah, that's the immigration office (nyuu koku kan ri kyoku)

A : nyuukoku....

B : nyuu, koku, kan, ri, kyoku. For short, you can say nyuukan.

A : 老师 , 申请延长签证的地方叫什么 ?

B : 哦 , 叫入国管理局 .

A : 入 (nyu-u-) 国 (ko-ku-)--- nyu-u-ko-ku-ka-n-ri-kyo-ku

B : 入 (nyu-u-), 国 (ko-ku-), 管 (ka-n-), 理 (ri-), 局 (kyo-ku). 简称入 (nyu-u-) 管 (ka-n-).

A : 선생님 , 비자를 연장하는 곳은 뭐라고 말해요 ?

B : 아 -, 그건 입국 관리국이에요 .

A : 입국….

B : 입 . 국 . 관 . 리 . 국 . 짧게 말하면 , 입관 .

2

A : Can I help you?

B : Um, yes, I'd like to open an account please.

A : Ah I see, a new client then. Please take this numbered ticket and wait (for your number to be called)

A : 您有什么事儿吗 ?

B : 哎 ? 哦 , 我想开个户 .

A : 开个新的帐户啊 . 那请您在这儿抽一张号 , 然后稍等一会儿 .

A : 어떻게 오셨어요 ?

B : 예 ? 아 , 저기 -. 계좌를 개설하고 싶은데요 .

A : 신규시네요 . 그럼 여기 번호표 뽑으시고 기다려주세요 .

3

A : It's a tremendous sound that wind's making, isn't it?

B : Yeah, on a day like this going hiking is just the worst.

A : If only it would rain. Then it would get cancelled.

A : 你听风声嗖嗖的 .

B : 嗯 , 这种天气去远足可真是惨啊 .

A : 要是下雨的话 , 还可能取消呢 .

A : 바람 소리가 휘잉 - 휘잉 - 엄청나네 .

B : 응 , 이런날 하이킹이라니 최악이야 !

A : 비라도 내려주면 , 중지될텐데 말야 .

4

A : There's a cavity in one of your back teeth. Does it hurt?

B : Not especially...

A : Well, I'll work on this bad spot. If it hurts then raise your hand.

A : 啊 , 你的大牙已经变成了虫牙了 . 疼吗 ?

B : 不 , 不太疼 .

A : 那我把不好的地方削掉了 . 要是觉得疼的话就请举手 .

A : 아아 , 어금니가 충치네요 . 아파요 ?

B : 아뇨 , 딱히….

A : 그럼 , 안 좋은 부분을 깎아낼게요 . 아프면 손을 들어주세요 .

5

A : Sensei, I passed!

B : Congratulations! You really worked hard, didn't you!

A : It's all thanks to you sensei. Thank you so much.

A : 老师我考试及格了 !

B : 哇 ---, 恭喜你 . 你也真的努力了嘛 .

A : 多亏了老师的帮助 . 多谢您了 .

A : 선생님 , 합격했어요 !

B : 와 - 축하해요 . 잘해냈네요 .

A : 선생님 덕분이에요 . 정말로 감사합니다 .

6

A : Thank you so much for looking after me, (while I've been here). Tomorrow I'm going back home (to my country).

B : Really? It will be lonely after you leave.

A : Please come and visit. I'll definitely show you around.

B : Yes, I'll definitely get in touch when I go.

A : 方方面面承蒙您的特别关照了 . 我明天就要回国了 .

B : 是吗 . 那我可要寂寞了 .

A : 您一定要来玩啊 . 我会盛情招待您的

B : 嗯 , 我一定去 . 去之前我会和你联络的 .

A : 여러가지로 신세 많이 졌습니다 . 내일 귀국해요 .

B : 그래요 -,, 섭섭하네요 -.

A : 꼭 , 놀러와 주세요 . 안내해 드릴테니까 .

B : 응 . 갈 땐 꼭 연락 할게요 .

7
C
A：今、ピンポーン🔔¹⁰って言わなかった？
B：え〜、気のせいじゃない？
A：ちょっと、見てきてくれない？
B：も〜、気になる人が自分で見てくれば〜？

8
D
A：あれ？　音が出ないなー。こわれてんのかな？
B：コンセント、入ってますか？
A：うん、入ってるのに、変だなー。
B：ＣＤの向きは大丈夫ですか？

9
A：もしもし、それでですねー、電車がいつ動くかわからないそうなんで…。
B：わかりました。じゃ、会議先に始めてますね。
A：すみません。よろしくお願いします。
B：慌てなくていいから、気をつけて来てくださいね。

10
C
A：あー、電池が終わりそう。どうしよう。
B：近くに公衆電話ない？　見つけて、かけなおしてよ。
A：わかった。探してみるね。ちょっと待ってて。

7
A ： Did the bell ring?
B ： Eh? It's just your imagination isn't it?
A ： Will you go and check for me.
B ： (tut, tut) If you're bothered about it why don't you go and check?

A：现在门铃响了吗？
B：哎？心理作用吧？
A：你帮我去看看好吗？
B：你要是在意的话就自己去看一下嘛？

A：지금, 땡동 소리나지 않았어?
B：어~, 기분 탓 아니야?
A：잠깐, 보고 와줄래?
B：뭐야 - 궁금한 사람이 직접 보면 안돼?

8
A ： What...? There's no sound coming out. I wonder if it's broken.
B ： Have you plugged it in?
A ： Yeah, I did. It's weird.
B ： Is the CD the right way up?

A：哎？怎么没有声音？坏了吧？
B：插销插好了吗？
A：嗯，插好着呢，真怪呀.
B：CD 的正反面没放错吧？

A：어라? 소리가 안 나오네, 고장난 건가?
B：콘센트, 꽂혀 있어요?
A：응. 꽂혀 있는데도, 이상하네 -
B：CD 방향은 바로 됐어요?

9
A ： Hello? Yes, well, I don't know when this train is going to start moving again...
B ： I understand. Well, we'll start the meeting ahead of you.
A ： I'm very sorry.
B ： You don't have to rush, take your time.

A：喂，那什么.电车现在停了，什么时候发车还不太清楚.
B：明白了.那我们先开始开会了.
A：对不起.那就拜托你们了.
B：您别着急，路上小心点儿.

A：여보세요, 그래서 말이죠 -, 전철이 언제 움직일지 몰라서요….
B：알겠습니다. 그럼, 회의 먼저 시작 할게요.
A：죄송해요. 좀 부탁 드려요.
B：서두르지 않아도 되니까, 조심해서 오세요.

10
A ： Ahh, the batteries are about to run out. What shall I do?
B ： Is there a public telephone nearby? Find one and call me back.
A ： OK, I'll look and see. Wait a minute ok?

A：啊，我的手机快没电了.怎么办？
B：附近有没有公用电话？快找一找.然后再给我打过来.
A：好.我找找看.等一下哦.

A：(삐삐삐삐) 아-, 배터리가 나갈 것 같아.
B：근처에 공중전화 없어? 찾아서, 다시 전화해.
A：알았어. 찾아볼게. 잠깐 기다려.

1
A : あのー、定期券売り場はどこでしょうか？
B : あ、みどりの窓口🔊11のとなりです。
A : そうですか、ありがとうございます。
B : 急ぐなら、自動販売機でも買えますよ。

2
A : 警察は110番ですよね。
B : そうですよ。
A : じゃー、急に病気になった時は？
B : 火事の時と同じ119番です。

3
A : すみません、宅急便、お願いしたいんですけど。
B : はい、じゃ、このふと枠の中に必要事項を書いてください。
A : あの、ガラスが入っているんですが。
B : それでは壊れ物のところに○をつけてください。

4
A : はい、104🔊12の田中です。
B : すみません、新宿区役所の電話番号が知りたいんですが。
A : はい、新宿区役所ですね。それではテープでご案内させていただきます。ご利用ありがとうございました。

5
A : すみません、今日シャンプーとカットしたいんですが…。
B : はい、何時ごろの予約がよろしいでしょうか。
A : そうですね、じゃ、3時でお願いします。

6
A : 焼き肉弁当、1つください。
B : はい、焼き肉ですね、450円でーす。
A : あの、ご飯 少なめ🔊13でお願いします。

1

A : Um, where can I buy a commuter pass please?

B : It's next to the green ticket window.

A : Ah, thank you very much.

B : If you're in a hurry, there's also an automatic machine that you can use.

A : 请问, 月票的售票处在哪儿?

B : 啊, 那个绿色窗口的旁边就是.

A : 是吗. 谢谢您.

B : 您要是着急的话, 用自动售票机也可以买的.

A : 저 -, 정기권판매소는 어디입니까?

B : 아, 녹색창구입니다.

A : 그렇습니까, 감사합니다.

B : 서둘러야되는 거면, 자동판매기에서도 살 수 있어요.

2

A : For the police, it's 110 isn't it?

B : That's right.

A : OK, what about if you need to go to the hospital in an emergency?

B : It's the same number as the fire service. 119.

A : 报警电话是 110 吧.

B : 是啊.

A : 那么急救电话呢?

B : 和火警是一样的 119.

A : 경찰은 110 번이죠.

B : 그렇죠.

A : 그럼, 갑자기 아플 땐?

B : 불 났을 때와 같은 119 번입니다.

3

A : Excuse me, I'd like to use the express home delivery service.

B : Yes of course, please fill in all of the necessary information in this box.

A : Actually, there's some glass inside...

B : In that case please mark a circle next to breakable items.

A : 不好意思, 我想寄特快专递.

B : 好. 那请您填一下这张表吧.

A : 还有, 就是这里面有玻璃制品.

B : 那请您在易碎物的地方画圈儿.

A : 실례합니다, 택배, 부탁하고 싶은데요.

B : 네, 그럼, 이 굵은 칸 안에 필요사항을 적어주세요.

A : 저, 유리가 들어있습니다만.

B : 그러면 파손물에 동그라미 쳐 주세요.

4

A : Hello, this is Tanaka speaking, no. 104.

B : Excuse me, I'd like to know the number for Shinjuku-ku public office please.

A : Shinjuku-ku public office. Please listen to the tape recording that follows. Thank you for using the service.

A : 喂, 您好. 我是 104 的田中.

B : 不好意思, 我想知道新宿区政府的电话号码.

A : 好, 新宿区政府. 那请您稍等. 谢谢!

A : 네, 104 번 다나카입니다.

B : 저기, 신주쿠구청 전화번호 알고 싶은데요.

A : 네, 신주쿠구청 말씀이십니까. 그럼 자동응답시스템으로 안내해 드리겠습니다. 이용해주셔서 감사합니다.

5

A : Excuse me, I'd like to book a shampoo and cut for today please.

B : Yes, what time would you like?

A : Hmm, three o'clock please.

A : 不好意思, 今天我想洗剪头发, 可以吗?

B : 可以, 您想预约几点呢?

A : 嗯 ---, 那就 3 点吧.

A : 저기, 오늘 샴푸랑 컷트하고 싶은데요…

B : 네, 몇 시쯤 예약이 괜찮으시겠어요?

A : 글쎄요, 자, 3 시로 부탁드려요.

6

A : Could I have one yakiniku lunchbox please.

B : Certainly, one yakiniku. That's 450 yen please.

A : Actually, could I have slightly less rice please.

A : 请给我一个炒肉盒饭.

B : 好, 一个炒肉盒饭, 450.

A : 嗯, 还有就是, 饭要少一点

A : 불고기도시락, 하나 주세요.

B : 네, 불고기도시락이요, 450 엔입니다.

A : 저기, 밥은 적은 걸로 주세요.

7 A : 日替わり弁当、ご飯大盛り¹⁴でお願いします。

　　B : はい、ありがとうございます。みそ汁はつけますか?

　　A : うーん、どうしようかな、あ、今日はやめときます。

8 A : このバースデーケーキをください。

　　B : はい、ありがとうございます。ろうそくをつけますか?

　　A : はい、じゃ、大きいのを4本と小さいのを3本で。

9 A : 一泊二日で行けるいい温泉ありますか?

D B : ご予算は、どれくらいをお考えでしょう。

　　A : う～ん、1万5000円くらいかな、交通費込みで。

　　B : それでは、こちらなどいかがでしょう。

10 A : すみません。キップを落としちゃったんですが。

　　B : どちらから乗りましたか?

　　A : 東京駅からです。

　　B : じゃ、360円ですね。

7

A : Today's special lunchbox with a large helping of rice please.
B : Thank you very much. Would you like some miso soup with that?
A : Oh, umm... I think I'll leave it as it is thanks.

A：给我来份盒饭 , 要大份的 .
B：好 , 谢谢 . 要汤吗 ?
A：嗯 ---, 要不要呢 ? 算了 , 今天不要了 .

A：오늘의 도시락 , 밥 곱빼기로 주세요 .
B：네 , 감사합니다 . 된장국도 넣을까요 ?
A：응 , 어쩌지 , 아 , 오늘은 됐습니다 .

8

A : Could I have this chocolate birthday cake please.
B : Thank you very much. Would you like candles with it?
A : Yes please, I'd like four large ones and three smaller ones.

A：请给我这个生日蛋糕
B：好 , 谢谢 ! 要蜡烛吗 ?
A：要 , 给我 4 根大的 3 根小的吧 .

A：이 생일케이크로 주세요 .
B：네 , 감사합니다 . 양초도 넣어드릴까요 ?
A：네 , 그럼 , 긴 초 4 개 , 짧은 초 3 개로 .

9

A : I'd like a one night trip for six people at the hot springs please.
B : What sort of budget do you have?
A : Yes, well including travel costs I'm thinking of about 15000 yen.
B : In that case, what about this then?

A：有能去两天一夜的 , 好一点的温泉吗 ?
B：您的预算大概是多少钱呢 ?
A：嗯—. 包括交通费的话 15000 日元左右吧 .
B：这样的话 , 您看看这个怎么样 ?

A：1 박 2 일로 갈 수 있는 좋은 온천 있습니까 ?
B：예산은 , 어느 정도로 생각하고 계신지요 .
A：음 , 만 5 천엔정도일까 , 교통비 포함으로 .
B：그러면 , 이쪽은 어떠세요 .

10

A : I'm sorry, but I seem to have lost my ticket.
B : Where did you come from?
A : From Tokyo station.
B : Well, that's 360 yen then.

A：对不起 , 我的车票丢了 .
B：您是从哪儿上的车 ?
A：从东京站上的 .
B：那请您补票吧 .360 日元 .

A：죄송합니다 . 표를 잃어버렸는데요 .
B：어디에서 탔습니까 ?
A：동경역입니다 .
B：그럼 , 360 엔이네요 .

1 A：すみません、こちらではお米、配達してもらえますか？

B：はい、5キロから配達します。

A：じゃ、お願いします。

2 A：低カロリーで健康にいい食べ物ってなんでしょうか？

B：そうですね〜、こんにゃくとか豆腐とか…。

A：なんだか、値段の安いものばかりですね。

B：そうそう、ぜいたくしなくても健康になれるんだよね。

3 A：引っ越しする時は、郵便局に新しい住所を届けると便利ですよ。

B：え〜、そうなんですか〜？

A：前の住所に来た手紙も、ちゃんと新しいところまで届けてくれるんですよ。

4 A：ブランド品はやっぱりアフターケアーがいいよね。

C B：そうそう！

A：この前、かばんの取っ手が壊れたとき、すぐに直してくれたしね。

5 A：最近、テレビの映りが悪いねー。

C B：マンションの前に高いビルが建ったからかな〜。

A：あー、そうかも！

6 A：デジカメで撮った写真、プリントしたいんだけど。

D B：写真屋さんにデジカメを持って行けば、してくれますよ。

A：へ〜、そうなんだ。

7 A：あのー、前髪を短くしたいんですが。

B：どのくらいまで切りますか？

A：眉毛がかくれるぐらいまで、切ってください。

1

A : Excuse me, do you deliver rice?

B : Yes, we deliver amounts over 5kg.

A : I'll take that then please.

A : 请问，您这儿的米给送货吗？

B : 送,5公斤以上就给送.

A : 那好，拜托您给送一下吧.

A : 저기, 죄송한데요, 여기 쌀 배달 되요?

B : 예, 5kg 부터 배달합니다.

A : 그럼, 부탁합니다.

2

A : What sort of foods are healthy and low in calories?

B : Well, I suppose things like konnyaku, tofu...

A : They're all quite cheap as well, aren't they?

B : Oh yes, you don't have to be extravagant to be healthy.

A : 有什么卡路里又低对身体又好的食品吗？

B : 是啊---，比方说，魔芋，豆腐之类的.

A : 什么嘛. 都是些便宜的东西.

B : 对，对. 不用花费太多就可以保持身体健康了.

A : 저칼로리에 건강에 좋은 음식이 뭐가 있을까요？

B : 음 - 글쎄요, 곤약이나 두부나 ...

A : 왠지, 값싼 것들 뿐이네요.

B : 그래 그래요, 비싼 거 먹지 않아도 건강하게 살 수 있어요.

3

A : When you're moving house, tell the post office your new address and it's very convenient.

B : Really?

A : Yes, they will forward letters sent to your old address for you.

A : 在搬家之后，向邮局提交新地址，邮局就会把邮件之类的东西寄到新家来. 这可真是方便呀.

B : 哎---. 是吗？

A : 是啊，被寄到以前住址的信也会被寄到新家来的啊.

A : 이사할 때는 우체국에 새로운 주소를 신고하면 편리해요.

B : 어 ~, 그런거에요 ~?

A : 예전의 주소로 갔던 편지도 제대로 새 주소까지 배달해 주거든요.

4

A : The after-care service that brands have is great isn't it?

B : Yeah, absolutely!

A : The other day, the handle on my bag broke and they fixed it immediately for me.

A : 名牌产品的售后服务就是好啊.

B : 对，对.

A : 前一阵，我包的拉链的锁头坏了的时候，马上就给我修好了.

A : 브랜드제품은 역시 애프터 서비스가 좋아.

B : 그래그래！

A : 저번에는 가방 손잡이가 망가졌을 때 금방 고쳐줬어.

5

A : Recently I've been getting a bad picture on my television.

B : Maybe it's because they've just built that high building in front of your apartment.

A : Yeah, that could be it, couldn't it?

A : 最近，电视的图像不太好啊.

B : 是不是这幢楼前面又盖了一幢高层的原故啊？

A : 啊，有可能！

A : 최근에, TV 화질이 안 좋네.

B : 맨션 앞에 높은 빌딩이 세워져선가 ~.

A : 아아, 그럴지도.

6

A : I'd like to print out the pictures I took on my digital camera.

B : If you take your camera to the photo shop then they'll do it for you.

A : Really!?

A : 我想把数码相机里的照片洗一下.

B : 那你把相机拿到照相馆去，他们会帮你洗的.

A : 哎---. 是吗.

A : 디카로 찍은 사진, 프린트하고 싶은데.

B : 사진관에 디카 가지고 가면, 해줘요.

A : 아 ~ 그렇구나 ~！

7

A : Well... I'd like to cut the fringe a bit shorter...

B : How long would you like it?

A : If you could cut it so that it's just hiding my eyebrows then that would be great.

A : 不好意思, 我想剪刘海儿.

B : 剪到哪儿？

A : 剪到眉毛下面吧.

A : 저기 -, 앞머리좀 짧게 하고 싶은데요 -.

B : 어느 정도까지 자르실 건가요？

A : 눈썹이 가려질 정도까지 잘라주세요.

⑧ A：髪にゆるめのカールをつけたいんですが。

B：はい、わかりました。

A：あのー、できればこの写真みたいにしてください。

B：はい、わかりました！

⑨ A：ケーキ教室に申し込みたいんです。

B：え～、すごい！　でも、どうして。

A：日本語も覚えられるし、ケーキ作りも上手になるからです。

B：それは、一石二鳥🔍15ってことですね。

⑩ A：一石二鳥、それはどういう意味ですか？

B：１つのことをしたら、２つ何かいいことがあるってことですよ。

A：じゃ、一石三鳥🔍16ですよ。そこでボーイフレンドも見つけるつもりですから。

B：す、すごい！

8
A : I'd like to add some loose curls.
B : Right, OK
A : Actually... if it's possible, I'd like to have them like they are in this photograph.
B : Right, no problem!

A : 我想烫个大卷 .
B : 好 , 明白了 .
A : 嗯 , 如果可以的话 , 最好能烫像这张照片一样 .
B : 好 , 可以 .

A : 머리에 자연스러운 웨이브를 넣고 싶은데요 .
B : 예 , 알겠습니다 .
A : 저기 -. 가능하면 이 사진 처럼 해 주세요 .
B : 예 , 알겠습니다 !

9
A : I'd like to apply to the cake making class.
B : Really? Wow! But why?
A : I can learn more Japanese and I can also become good at making cakes.
B : That's what you call two birds with one stone, isn't it?

A : 我想报名学习做蛋糕 .
B : 哎 ---, 真厉害 ! 不过 , 你为什么要学做蛋糕呢 ?
A : 因为能学日语 , 同时又能学做蛋糕 .
B : 真是一举两得啊 .

A : 케이크교실 다니고 싶어요 .
B : 와 ~ , 대단해 ! 근데 , 왜 ?
A : 일본어도 배울 수 있고 , 케이크도 잘 만들 수 있으니까요 .
B : 그건 일석이조이네요 .

10
A : What exactly does "two birds with one stone" mean?
B : It means if you do one thing then two good things happen.
A : OK, well it's actually three birds with one stone. I plan to look for a boyfriend while I'm there.
B : Wow!

A : 一举两得是什么意思 ?
B : 就是指只做了一件事 , 但从中得到了两个好处的意思 .
A : 那就是一举三得了 . 我还打算在那儿找个女朋友呢 .
B : 你真厉害 !

A : 일석이조란 어떤 의미에요 ?
B : 한가지 일을 하면 , 좋은 일 두 가지가 있다는 말이에요 .
A : 그럼 일석삼조네요 . 그래서 남자친구도 찾아 볼 생각이니까요 .
B : 굉 , 굉장해 !

解　説 ◆ explanation 解说 해설

1 継続は力なり
けいぞく　ちから

ことわざの1つで、何かを続けていくことが結局、能力を伸ばすという意味です。

This is a proverb meaning that continuing with something will eventually result in the gaining of ability.

这是一句谚语．表示坚持做某件事的结果是使自己的能力得到了锻炼的意思．

속담의 하나로, 어떠한 것을 계속해서 이어나간다는 것은 결국 능력을 향상시킨다는 의미 입니다 .

2 きりがいい

することの区切りが終わり、ちょっと休むのにいいタイミングという意味です。

きりがいい refers to taking a convenient break when you have finished what you're doing.

是指在做某件事时，虽然没有完成但正好在某一时刻可以告一段落的意思．

할 일이 끝나서 조금 쉬어도 괜찮은 타이밍 , 이것이 「기리가이이」 입니다 .

3 落とす
お

コンピュータをシャットダウンすることです。

In this case, 落とす means shutting down a computer.

是电脑关机的意思．

컴퓨터를 shot down 하는 것입니다

4 上書きする
うわ が

コンピュータの保存のしかたです。「上書き保存」のことを短く「上書き」と言います。

うわがきほぞん, meaning to save and overwrite a file on a computer, is often shortened to just うわがき.

是电脑档案的保存方式。「上書き」是「上書き保存」的简称．

컴퓨터에 보존하는 방법입니다 . 「덮어쓰기저장」 을 짧게 「덮어쓰기」 라고 말합니다

5 切り花
き ばな

枝や葉をつけたまま切り取った花のことで、花束や生け花に使います。

This refers to a flower that has twigs and leaves still attached and would be put in a bouquet or used in flower arrangement.

意思是指用在捧花以及插花时，被剪下来的带着枝和叶子的花．

줄기나 잎을 달린 그대로 꺾은 꽃으로 , 꽃다발이나 꽃꽂이에 사용합니다 .

6 オレのみそ汁を作ってくれ
しる つく

「みそ汁を作ってほしい」は間接的なプロポーズの表現です。結婚して毎日自分のためにみそ汁を作ってほしいという思いがこめられています。

'I want you to make my miso soup' is an expression used as an indirect method of proposing to someone. It means that you would like the listener to marry you and make your miso soup for you every day.

「みそ汁を作ってほしい」是间接求婚时的措辞方式。因希望女方能在结婚后每天为自己做味噌汤．

「된장국을 만들어 줬으면 좋겠다」 는 간접적인 프러포즈 표현입니다 . 결혼해서 매일 자기를 위해서 된장국을 만들어 주었으면 하는 마음이 담겨져 있습니다 .

7 食べ放題、飲み放題
た ほうだい の ほうだい

どんなに食べても飲んでも一定料金、というサービスのスタイルのことです。

Eating style where you can get to eat as much as you want, for a fixed price agreed upon in advance (all-you-can-eat).

无论吃多少，喝多少都收一定的费用的餐饮方式．

일정요금만 내고 먹고 싶은대로 먹고 마시고 싶은대로 마실 수 있는 서비스 스타일입니다 .

8 ちょっとハワイ

軽い気持ちで簡単にハワイに行くという意味です。しかし実際には簡単に行ける旅行先ではありません。この場合まるで日常的に行っているかのように自慢するニュアンスが含まれています。

This is said in a light manner meaning to easily go to Hawaii. However, Hawaii is not a holiday destination that you can go to easily. In this situation, there is a nuance of boastfulness when the speaker says that he went to Hawaii as if it was an everyday, natural thing.

这是表示轻轻松松地去夏威夷的意思 . 但是 , 实际上夏威夷并不是能够轻轻松松去的地方 . 这种情况就好象经常去的感觉 , 在这里说话人有炫耀自己的意思 .

가벼운 기분으로 간단하게 하와이에 간다는 의미입니다 . 그러나 실제로 간단하게 갈수있는 여행지는 아닙니다 . 이 경우 마치 일상적으로 다녀오고 있는 것처럼 자랑하려는 뉘앙스가 포함되어 있습니다 .

9 ビュービュー

強い風の音を表す擬音語です。

This is an onomatopoeic word representing the sound of a strong wind.

表示大风的拟态词 .

강한 바람 소리를 나타내는 의성어입니다 .

10 ピンポーン

ドアのチャイムを表す擬声語です。

This represents the sound of a doorbell.

表示门铃声的拟声词 .

문의 차임벨을 나타내는 의성어 .

11 みどりの窓口

JR の特急急行列車の特急券、乗車券、定期券、などが買える JR の駅にあるチケット売り場の名前です。

The name of the ticket offices you can find in JR stations. Here you can buy commuter passes, tickets for the express trains, normal trains etc.

绿色窗口是在 JR(日本的铁路运输公司的名字) 车站里可以买到特快电车票 , 一般电车票 , 以及月票的售票处 .

JR 특급열차의 특급권 , 승차권 , 정기권 , 등을 살 수 있는 , JR 역에 있는 티켓판매소의 이름 .

12 104

電話番号がわからないときに使うNTTの有料サービス。104 をダイヤルし、番号を知りたい相手の名前と住所を言うと、調べて番号を教えてくれます。

This is a service by NTT that you use when you don't know the telephone number of the person you wish to call. Dial '104', give the name and address of the person you wish to call, and they will tell you their number.

在不知道电话号码时使用的 NTT(日本电信电话股份公司) 的收费服务 . 拨 104, 然后告诉服务人员想要知道电话号码的对方的名字以及地址 , 服务人员会查询后告诉客人的 .

전화번호를 모를 때 사용하는 NTT 의 유료 서비스 . 104 에 전화를 걸어 , 번호를 알고싶은 상대의 이름과 주소를 말하면 , 확인하여 번호를 알려줍니다 .

13 少なめ

店で注文した料理の量を少なくしたいときに使います。

The phrase you use when you order food in a restaurant and want a smaller portion then the standard size.

在餐厅点菜时 , 想要把饭量减少时用的说法 .

가게에서 주문한 요리의 양을 적게 하고 싶을 때 사용합니다 .

⑭ 大盛り
おおも

店で料理の量を多くしてほしい時に使います。お金をとられる場合があります。

The phrase you use when you order food in a restaurant and want a larger portion then the standard size. Sometimes this up-sizing costs money.

在餐厅吃饭时，想要增加饭量时用的说法．但是有时是需要另行收费的．

가게에서 요리의 양을 늘이고 싶을 때 사용합니다．돈을 지불해야하는 경우가 있습니다．

⑮ 一石二鳥
いっせき に ちょう

ことわざの1つで、ひとつのことをすると、同時に2つの利益を得られるという意味です。

A proverb meaning that by doing one thing, you gain two benefits at the same time.

这是一个成语，是一举两得的意思。

사자성어로서 한가지 일을 하면，동시에 두가지 이익을 얻을 수 있다는 의미입니다．

⑯ 一石三鳥
いっせきさんちょう

一石二鳥ということわざをもじったもので、ひとつのことをすると、同時に3つの利益を得られるということを意味しています。

A parody on the いっせきにちょう proverb. This saying means that when doing one thing you gain three benefits at the same time.

这是在模仿一举两得这句谚语的用法．意思是在做一件事的同时却从中获得了三项利益．

일석이조라는 사자성어를 패러디한 말．한가지 일을 하면，동시에 세가지．이득을 얻을 수 있다고 말하고 있습니다．

❸ 日本語学習者にインタビューしました！
It interviewed the studying Japanese person.
对正在学习日语的同学们进行了采访 / 일본어 학습자에게 인터뷰했습니다 !

Q：シャドーイングの練習をして、あなたの日本語はどう変わりましたか？

文法を考えないで日本語がスルッと口から出てきたときは、びっくりした。

シャドーイングで練習した言葉が、実際の会話で出てきたとき、嬉しかった。

日本人にどうしてそんな表現を知っているの？とおどろかれた。

お気に入りの日本語が増えた。

会話形式のシャドーイングは実生活での応用が大いに期待できます。
みなさんも学校や電車の中でシャドーイングを練習して、自然な日本語を身につけましょう。

. . . .

Q：How has your Japanese changed after you started using Shadowing?

I was really surprised when I didn't think about grammar and I spoke Japanese in a very natural manner.

I was very happy when the words I practised with Shadowing came up in real conversations.

I was asked, "How come you know expressions like that?", by surprised Japanese people.

I've found more Japanese expressions that I really like.

You can really expect to be able to put the conversations that appear in Shadowing into practical use in everyday life. Let's practise Shadowing at school or in the train, so that natural Japanese really becomes a part of you.

. . . .

Q：做了影子练习，你感觉你的日语有什么样的变化？

不用再考虑语法日语就脱口而出，让我吃了一惊。

在影子练习中学会的说法，实际生活中用到时，我感到非常高兴。

日本人也为「你怎么知道这样的说法」而吃惊了。

我喜欢的日语的表达方式增加了。

这种以会话形式为主的影子练习，你可以期待它在实际生活中将会给你带来更大的效果。大家也来在学校，在车里进行练习影子，掌握更加自然的日语吧！

. . . .

Q：シャドーイング연습을 통해 , 당신의 일본어는 어떻게 변했습니까 ?

문법을 생각하지 않은 채 일본어가 술술 입에서 나왔을 때는 , 깜짝 놀랐다 .

シャドーイング에서 연습한 말이 , 실제 회화에서 나왔을때 , 기뻤다 .

일본인이 어떻게 그런 표현을 알고 있냐며 놀라워했다 .

즐겨사용하는 일본어가 늘었다 .

회화형식의 シャドーイング는 실생활에서 크나큰 응용을 기대할 수 있습니다 . 여러분도 학교나 전차에서 シャドーイング를 연습하여 , 자연스런 일본어를 몸에 익혀나가도록 하세요 .

著者紹介

斎藤仁志 （さいとうひとし） 長崎ウエスレヤン大学・講師

吉本惠子 （よしもとけいこ） 文化外国語専門学校国際通訳翻訳科コースコーディネーター・講師

深澤道子 （ふかざわみちこ） カイ日本語スクール・講師
文化外国語専門学校国際通訳翻訳科・非常勤講師

小野田知子 （おのだちかこ） 元カイ日本語スクール・講師

酒井理恵子 （さかいりえこ） カイ日本語スクール・講師

シャドーイング
日本語を話そう・初~中級編

2006 年 9 月 25 日　第 1 刷発行
2009 年 10 月 29 日　第 4 刷発行

著者	斎藤仁志・吉本惠子・深澤道子・小野田知子・酒井理恵子
発行	株式会社 くろしお出版
	〒113-0033　東京都文京区本郷 3-21-10
	TEL 03-5684-3389　FAX 03-5684-4762
	URL http://www.9640.jp
	E-mail kurosio@9640.jp
印刷所	モリモト印刷株式会社
装丁	スズキアキヒロ
翻訳者	Andrew Wright （英語）
	Arno Janssen （英語）
	金　封京 （韓国語）
	禹　ナリ （韓国語）
	任　博 （中国語）
CD 録音	我妻　拓 （日本工学院専門学校）
声優	中田　潤・佐藤真澄 （コスモ・スペース）
録音協力	日本工学院専門学校
担当・レイアウト	市川麻里子

© SAITO Hitoshi, YOSHIMOTO Keiko, FUKAZAWA Michiko,
　ONODA Chikako, SAKAI Rieko 2006, Printed in Japan
ISBN978-4-87424-354-1　C2081